영재
사고력수학
필즈

킨더 하

CONTENTS

서문

이 책을 공부하게 될 친구들에게

저자는 영재교육원 관찰추천제를 대비하기 위한 「필즈수학」 시리즈를 출판하였고, 창의적 문제해결력을 기르고, 영재교육원 대비에 도움이 될 수 있도록 관찰추천제 가이드 북을 제시하였습니다.

「필즈수학」 시리즈는 수학에 대한 호기심이 있는 학생들이라면 도전해 보고 싶은 주제들로 구성되어 있고, 교재의 수준과 깊이에서 일정 수준 이상의 개념과 수학적 경험을 갖춘 학생들이라면 접근해 볼 수 있는 면이 있어 영재교육원을 준비하지 않더라도 상위권 학생들을 중심으로 꾸준한 사랑을 받고 있습니다.

이러한 이유로 많은 학생들과 학부모들이 기존 「필즈수학」 시리즈로 공부할 수 있는 학생들보다 좀 더 어린 학생들을 대상으로 하는 교재의 출판을 바라왔습니다. 이러한 요구를 반영해 수와 연산, 패턴, 도형, 측정, 문제 해결 방법 등을 주제로 하는 예비 초등학생과 초등 저학년 학생들을 위한 「필즈 킨더」 시리즈를 내놓게 되었습니다.

수학은 위계의 학문입니다. 하위 개념에 대한 정확한 이해 없이 상위 개념을 접하게 되면 언제든지 무너질 수 있는 학문이라는 뜻입니다. 이 문제는 유사 문항을 단순 반복하여 여러 번 풀어본다고 해결되지 않으며, 무의미한 반복과 과도한 학습량은 오히려 수학에 대한 흥미를 떨어뜨려 수학 공부에 방해가 될 수 있습니다. 또한, 수학적 사고력은 개념 ➡ 기본 ➡ 응용 ➡ 심화와 같이 선형적으로 발전하지도 않습니다. 스스로 부딪쳐서 해결하는 과정에서 개념을 더 완벽히 이해할 수 있고, 깊이 있는 문제를 접하며 논리적 도약을 이뤄낼 수 있을 때 수학적 사고력이 발전하는 것입니다. 수학은 많은 학부모들이 오해하듯이 '선천적 재능을 타고나야 잘할 수 있는 과목'이 아닙니다. 아이들에게 환경과 기회를 어떻게 제공했는지에 따라 아이들의 수학 실력은 달라질 수 있습니다.

「필즈 킨더」 시리즈는 예비 초등학생과 초등 저학년 학생들이 무엇을 가지고 어떻게 수학을 시작해야 하는지를 제시하고, 수학적 사고력을 길러 상위 개념으로, 다음 과정으로 진입할 수 있게 하는 마중물이 될 것입니다.

강신흥

이 책의 구성과 특징

유형 제시

어떤 문제를 공부하게 될까?

단원의 대표적인 사고력 문제 유형을 아이들의 대화를 통해 딱딱하지 않게 제시함으로써 학생들이 좀 더 재미있고 쉽게 이해할 수 있도록 도와줍니다.

대표 문제

문제를 어떻게 접근해야 할까?

문제 해결의 핵심을 알려줌으로써 어려워 보이는 문제를 편하게 접근할 수 있는 친절한 선생님의 역할을 합니다.

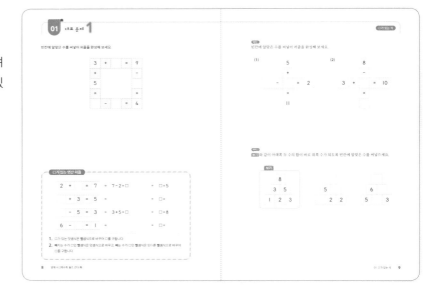

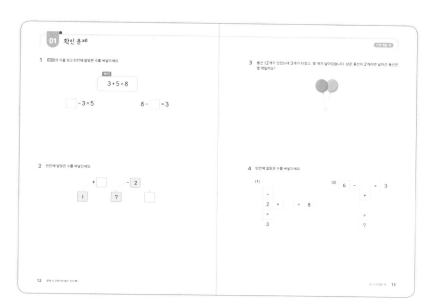

확인 문제

혼자서 해결하자!

유형 제시와 대표 문제에서 만난 문제들이 다양한 형태로 변형되어 나옵니다. 변형된 여러 문제들을 학생이 혼자 해결해봄으로써 해당 문제 유형의 이해를 높입니다.

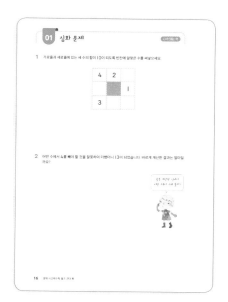

심화 문제

실력을 높이자!

기존 학습 문항들보다 난이도가 높은 문항에 도전하고 해결하는 과정에서 학생의 과제집착력을 기르고, 성취감을 맛볼 수 있게 합니다.

경시 기출 유형

도전!!

기존 경시대회 문제들과 유사한 형태의 문제를 해결하는 과정에서 다양한 각도에서 문제를 접근하고 수학적 해결 전략을 구사하는 능력을 향상시킵니다.

영재사고력수학 필즈 로드맵

예비 초등학생과
초등학교 저학년을 위한 [필즈수학] 시리즈

교재		예비 초등학생을 위한 **킨더**	초등학교 1학년을 위한 **베이직**	초등학교 2학년을 위한 **입문**
상		모으기와 가르기	고대의 수	마방진
		덧셈식과 뺄셈식	수와 숫자	조건에 맞는 수
		목표수 만들기	카드로 만든 수	복면산과 도형이 나타내는 수
		줄서기	수 퍼즐	곱셈구구
		모양 패턴	여러 가지 패턴	수열
		증감 패턴	이중패턴과 □번째 모양	수 배열의 규칙
		수 배열표	유비추론	도형 패턴
중		전체와 부분	색종이 접고 자르기	도형의 개수
		모양 겹치기	도형의 연결	도형 붙이기
		길이와 들이 비교	길이 비교	쌓기나무
		달력	무게 비교	잴 수 있는 길이
		선 잇기 퍼즐	포함 관계	간격과 개수
		이동 경로	님 게임	여러 가지 방법으로 해결하기
		가위바위보	동전과 성냥개비	재치있게 해결하기
하		□가 있는 식	성냥개비 연산	어떤 수 구하기1
		가로세로 수 퍼즐	홀수와 짝수	연속수의 합
		주고 받기	연산 퍼즐	수 만들기
		연산 규칙	약속 연산	어떤 수 구하기2
		속성	표와 그래프	길의 가짓수
		위치와 순서	가능성	리그와 토너먼트
		색칠하기	방법의 가짓수	논리 추리

초등학교 고학년을 위한 [필즈수학] 시리즈

교재	초등학교 3, 4학년을 위한 초급	초등학교 4, 5학년을 위한 중급	초등학교 5, 6학년을 위한 고급
상	연속수	대칭수	연속수의 성질
	숫자 카드	수와 숫자의 개수	수와 숫자의 합
	가장 큰 곱 만들기	연속수의 합으로 나타내기	배수판정법
	도형이 나타내는 수	포포즈	약수의 개수
	벌레 먹은 셈	크기가 같은 분수	끝수와 0의 개수
	숫자의 개수	복면산	수와 식 만들기
	마방진	여러 가지 마방진	진법 활용
	도형 붙이기	도형 나누기와 맞추기	타일 붙이기
	주사위	도형의 개수	직육면체
	거울에 비친 모양	점을 이어 만든 도형의 개수	입체도형
	원	정육면체	쌓기나무
	가로수와 통나무	나이	뉴튼산
	가정하여 풀기	포함과 배제	거꾸로 생각하기
	저울을 이용하여 풀기	나머지	작업 능률
	재치있게 풀기	속력	극단적으로 생각하기
하	쌓기나무	붙여 만든 도형의 둘레	단위넓이의 활용
	덮기와 넓이	달력	겹쳐진 부분의 넓이
	색종이 자르기와 접기	평행과 도형의 내각	도형의 둘레와 넓이
	눈금없는 길이와 무게	바닥깔기	등적 분활
	모래시계	접기와 각	삼각형을 이용한 각도 구하기
	도형 유추	시계와 각	고장난 시계
	패턴	규칙 찾아 도형의 개수 세기	피보나치 수열
	간단한 수열	교점과 영역의 개수	여러 가지 수열의 활용
	간단한 규칙 찾기	수의 배열의 규칙	복잡한 규칙
	규칙 찾아 간단하게 계산하기	약속	그래프 읽기
	리그와 토너먼트	지불할 수 없는 동전	색칠하기
	최단거리	무게가 다른 금화 찾기	여러 가지 경우의 수
	논리 추리	연역적 논리	입체에서의 최단거리
	한붓그리기	비둘기 집	홀수 짝수
	성냥개비	님 게임	참말족과 거짓말족

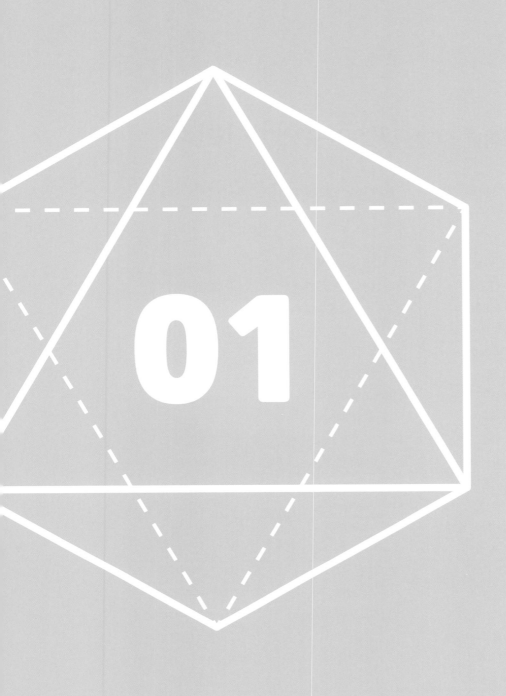

01

□가 있는 식

□가 있는 식

지호 예원

Math storyteller

 : 수 1, 2, 3으로 1 + 2 = 3인 덧셈식을 만들었어.

 : 난 2 + 1 = 3인 덧셈식을 만들었어.

 : 덧셈식을 만들 수 있으면 항상 뺄셈식도 만들 수 있어. 3 - 1 = 2와 3 - 2 = 1인 뺄셈식을 만들 수 있지.

● 주어진 세 수를 이용하여 덧셈식과 뺄셈식을 2개씩 만들어 보세요.

$$\boxed{2} \quad \boxed{7} \quad \boxed{9}$$

$$\boxed{2} + \boxed{7} = \boxed{9} \qquad \boxed{} + \boxed{} = \boxed{}$$

$$\boxed{} - \boxed{} = \boxed{} \qquad \boxed{} - \boxed{} = \boxed{}$$

덧셈식은 뺄셈식으로, 뺄셈식은 덧셈식으로 나타낼 수 있어.

예원

빈칸에 알맞은 수를 써넣어 퍼즐을 완성해 보세요.

3	+		=	9
+				−
5				
=				=
	−		=	4

□가 있는 연산 퍼즐

2	+		=	7

➡ 7 − 2 = □   ➡ □ = 5

	+	3	=	5

➡ _____   ➡ □ = ____

	−	5	=	3

➡ 3 + 5 = □.   ➡ □ = 8

6	−		=	1

➡ _____   ➡ □ = ____

1. □가 있는 덧셈식은 뺄셈식으로 바꾸어 □를 구합니다.

2. 빼지는 수가 □인 뺄셈식은 덧셈식으로 바꾸고, 빼는 수가 □인 뺄셈식은 또다른 뺄셈식으로 바꾸어 □를 구합니다.

예제 1

빈칸에 알맞은 수를 써넣어 퍼즐을 완성해 보세요.

(1)

		5		
		+		
	−		=	2
		=		
		11		

(2)

		8		
		−		
3	+		=	10
		=		

예제 2

보기 와 같이 아래쪽 두 수의 합이 바로 위쪽 수가 되도록 빈칸에 알맞은 수를 써넣으세요.

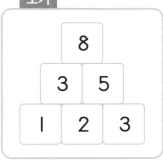

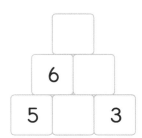

승기는 사탕을 아침에 **4**개, 저녁에 **7**개 먹었습니다. 시은이는 승기와 같은 수만큼의 사탕을 먹었습니다.
시은이가 아침에 사탕을 **6**개를 먹었다면 저녁에는 몇 개 먹었을까요?

(1) 승기가 먹은 사탕은 모두 몇 개일까요?

(2) 시은이와 승기가 먹은 사탕 수는 같습니다. 시은이가 저녁에 먹은 사탕은 몇 개일까요?

□가 있는 식을 세워 풀기

어떤 수에 **5**를 더한 수가 **4**보다 **3**이 더 큰 수입니다. 어떤 수는 얼마일까요?

① **4**보다 **3** 큰 수는 [ ] 입니다.

② 어떤 수에 **5**를 더한 수가 [ ] 이므로 □ + 5 = 7 ➡ 7 − 5 = □

③ 어떤 수는 [ ] 입니다.

....

1. 문제에서 구할 수 있는 것부터 구합니다.

2. 구한 수를 이용하여 □가 있는 식을 세우고, 어떤 수(□)를 구합니다.

예제 1

5보다 Ⅰ 작은 수는 어떤 수보다 Ⅰ 큰 수와 같습니다. 어떤 수는 얼마일까요?

예제 2

같은 모양은 같은 수를 나타냅니다. 각 모양이 나타내는 수를 구해 보세요.

$$3 + \bullet = 9$$

$$\bullet - 1 = \blacksquare$$

 :

 :

1 [보기]의 식을 보고 빈칸에 알맞은 수를 써넣으세요.

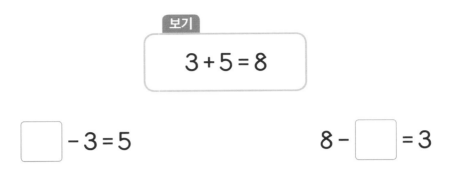

보기

$$3 + 5 = 8$$

$\boxed{} - 3 = 5$ $\qquad\qquad 8 - \boxed{} = 3$

2 빈칸에 알맞은 수를 써넣으세요.

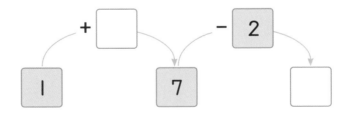

3 풍선 12개가 있었는데 3개가 터졌고, 몇 개가 날아갔습니다. 남은 풍선이 2개라면 날아간 풍선은 몇 개일까요?

4 빈칸에 알맞은 수를 써넣으세요.

(1)

−				
2	+		=	8
=				
3				

(2)

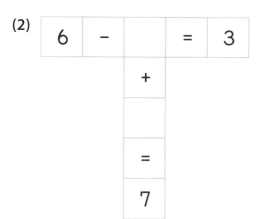

6	−		=	3
		+		
		=		
		7		

5 마주 보는 면에 적힌 수의 합이 **7**인 주사위가 있습니다. 지호가 주사위를 던졌더니 다음과 같이 나왔습니다. 바닥에 닿인 면에 적힌 수는 무엇일까요?

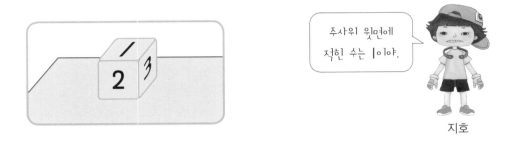

주사위 윗면에 적힌 수는 1이야.

지호

6 보기 와 같이 위쪽 두 수의 차가 바로 아래쪽 수가 되도록 빈칸에 알맞은 수를 써넣으세요.

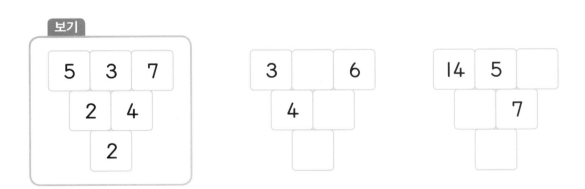

7 다음에서 설명하는 두 수는 같습니다. □ 안에 들어가는 수는 얼마일까요?

> • 2에 4를 더한 수
> • □에서 2를 뺀 수

8 빈칸에 알맞은 수를 써넣으세요.

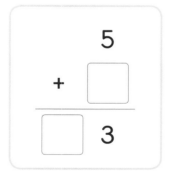

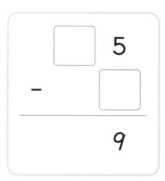

1 가로줄과 세로줄에 있는 세 수의 합이 10이 되도록 빈칸에 알맞은 수를 써넣으세요.

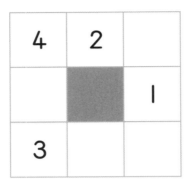

2 어떤 수에서 4를 빼야 할 것을 잘못하여 더했더니 13이 되었습니다. 바르게 계산한 결과는 얼마일까요?

잘못 계산한 식에서
어떤 수부터 구해 볼까?

● 이웃한 두 칸의 두 수를 더하면 모두 6이 되도록 수를 써넣으려고 합니다. 색칠된 칸에 들어가는 수는 얼마일까요?

			2

● 사과가 8개 있었습니다. 수호가 사과 몇 개를 먹고, 어머니께서 4개를 더 사오셔서 사과가 모두 10개가 되었습니다. 수호가 먹은 사과는 몇 개인지 물음에 답하세요.

(1) 어머니께서 사과 4개를 사오시기 전에 사과는 몇 개 남았을까요?

(2) 수호가 먹은 사과는 몇 개일까요?

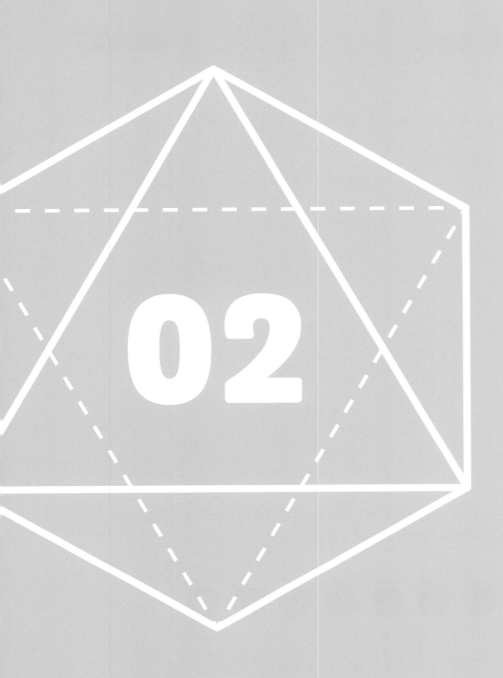

02

가로세로 수 퍼즐

가로세로 수 퍼즐

지호　예원

Math storyteller

 : 색깔이 같은 자동차끼리는 자동차에 타고 있는 사람 수도 같아.

 : 노란색 **2**대에 타고 있는 사람은 모두 **4**명이야. 노란색과 초록색에 타고 있는 사람은
모두 **5**명, 초록색과 빨간색에 타고 있는 사람은 모두 **7**명이야.

 : 각 자동차에 타고 있는 사람은 몇 명일까?

● 같은 색깔의 자동차는 같은 수, 다른 색깔의 자동차는 다른 수를 나타냅니다. 각 자동차
가 나타내는 수를 구해 보세요.

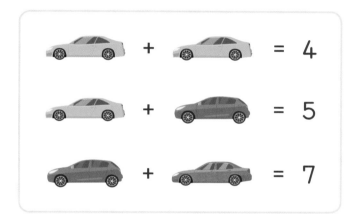

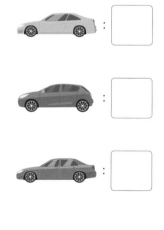

같은 수를 두 번 더하는
것부터 구해야 돼.

지호

같은 모양은 같은 수, 다른 모양은 다른 수를 나타냅니다. 각 모양이 나타내는 수를 구해 보세요.

$$★ + ♥ = 6$$
$$◆ + ★ = 4$$
$$◆ + ◆ = 6$$

★ : ☐   ♥ : ☐   ◆ : ☐

모양이 나타내는 수

$$■ + ■ = 2 \qquad \boxed{1} + \boxed{1} = 2 \qquad \boxed{1} + \boxed{1} = 2$$
$$▲ + ■ = 5 \qquad ▲ + \boxed{1} = 5 \quad ➡ \quad ④ + \boxed{1} = 5$$
$$● + ▲ = 6 \qquad ● + ▲ = 6 \qquad ② + ④ = 6$$

1. 같은 모양끼리 더하는 식을 찾아 그 모양이 나타내는 수를 구합니다.

   $■ + ■ = 2 ➡ ■ = 1$

2. 1에서 구한 모양이 나타내는 수를 이용하여 나머지 모양이 나타내는 수를 구합니다.

   $▲ + ■ = 5 ➡ ▲ + 1 = 5 ➡ ▲ = 4$, $● + ▲ = 6 ➡ ● + 4 = 6 ➡ ● = 2$

예제 1

같은 모양은 같은 수, 다른 모양은 다른 수를 나타냅니다. ■이 나타내는 수는 얼마일까요?

$$
\begin{aligned}
\triangle + \triangle &= 8 \\
\bullet + \triangle &= 7 \\
\blacksquare + \bullet &= 5
\end{aligned}
$$

예제 2

같은 모양은 같은 수, 다른 모양은 다른 수를 나타냅니다. 오른쪽과 아래쪽에 적힌 수는 각 줄에 있는 두 수의 합입니다. 각 모양이 나타내는 수를 구해 보세요.

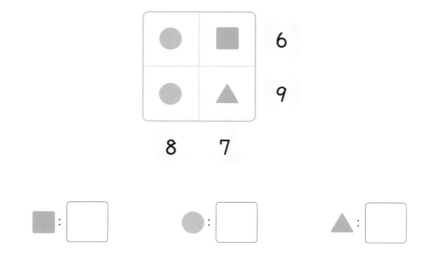

■ : ☐   ● : ☐   ▲ : ☐

1부터 4까지의 수를 한 번씩 써넣어 각 가로줄과 세로줄의 두 수의 합이 오른쪽과 위쪽 수가 되도록 만들어 보세요.

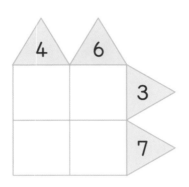

가로세로 덧셈 퍼즐

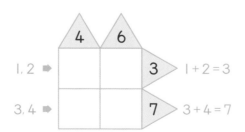

1. 합이 3인 두 수는 1, 2이므로 위쪽 두 칸에는 1, 2, 아래쪽 두 칸에는 남은 3, 4가 들어갑니다.

2. 위쪽 수에 맞게 1과 2, 3과 4를 알맞게 써넣습니다.

예제 1

수 2, 3, 4를 한 번씩 써넣어 가로줄과 세로줄의 합이 오른쪽과 위쪽 수가 되도록 만들어 보세요.

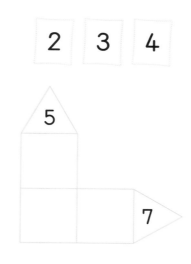

예제 2

가로줄과 세로줄의 두 수의 합이 바깥쪽 수가 되도록 주어진 수를 한 번씩 써넣으세요.

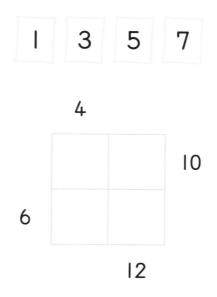

1 같은 과일은 같은 수, 다른 과일은 다른 수를 나타냅니다. 빈칸에 알맞은 수를 써넣으세요.

$$🍎 + 🍎 = 2$$

$$🍎 + 🍎 = 6$$

$$🍎 - 🍎 = \boxed{}$$

2 같은 색깔의 구슬은 같은 수, 다른 색깔의 구슬은 다른 수를 나타냅니다. 각 색깔의 구슬이 나타내는 수를 구해 보세요.

$$⚫ + ⚫ = 4$$
$$⚪ + ⚫ = 9$$
$$⚫ - ⚫ = 6$$

 : $\boxed{}$: $\boxed{}$ ⚫ : $\boxed{}$

3 같은 모양은 같은 수, 다른 모양은 다른 수를 나타내고, 가로줄 두 수의 합을 오른쪽에, 세로줄 두 수의 합을 아래쪽에 적었습니다. 빈칸에 알맞은 수를 써넣으세요.

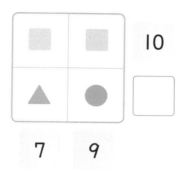

4 같은 모양은 같은 수, 다른 모양은 다른 수를 나타냅니다. ●+▲ 는 얼마일까요?

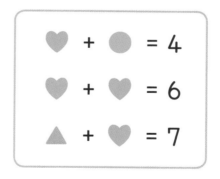

$$● + ▲ = \boxed{}$$

5 같은 모양은 같은 수, 다른 모양은 다른 수를 나타내고, 세로줄 두 수의 합을 아래쪽에 적었습니다. 각 모양이 나타내는 수를 구해 보세요.

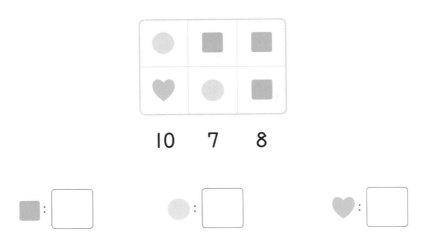

6 주어진 수를 한 번씩 써넣어 각 가로줄과 세로줄의 두 수의 합이 오른쪽과 위쪽 수가 되도록 만들어 보세요.

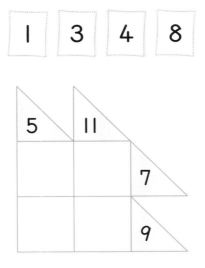

7 주어진 수를 한 번씩 써넣어 각 가로줄과 세로줄의 두 수의 합이 바깥쪽 수가 되도록 만들어 보세요.

8 ◯ 안에 **3, 4, 5, 6**을 한 번씩 써넣어 선으로 연결된 두 수의 합이 다음과 같도록 만들어 보세요.

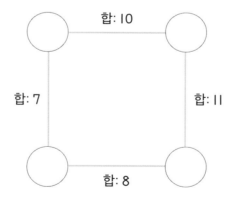

1 0부터 9까지의 수 카드가 한 장씩 있습니다. 5명의 친구들이 수 카드를 2장씩 나누어 가진 다음, 카드에 적힌 수의 합을 말했습니다. 물음에 답하세요.

(1) 지한이와 예원이가 가진 수 카드는 각각 무엇일까요?

지한: ☐ , ☐   예원: ☐ , ☐

(2) 지한이와 예원이가 가진 수 카드를 제외하면 지호가 가진 수 카드를 알 수 있습니다. 지호가 가진 수 카드는 무엇일까요?

지호: ☐ , ☐

(3) 수아와 민서가 가진 수 카드를 각각 구해 보세요.

수아: ☐ , ☐   민서: ☐ , ☐

● 수를 모양으로 나타내었습니다. 규칙을 찾아 다음 모양이 나타내는 수를 구해 보세요.

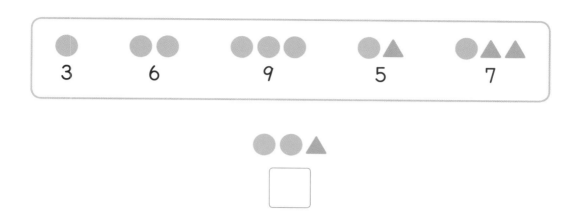

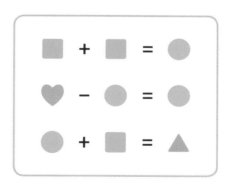

● 같은 모양은 같은 수, 다른 모양은 다른 수를 나타내고, 각 모양은 1부터 4까지의 수를 나타냅니다. 각 모양이 나타내는 수를 구해 보세요.

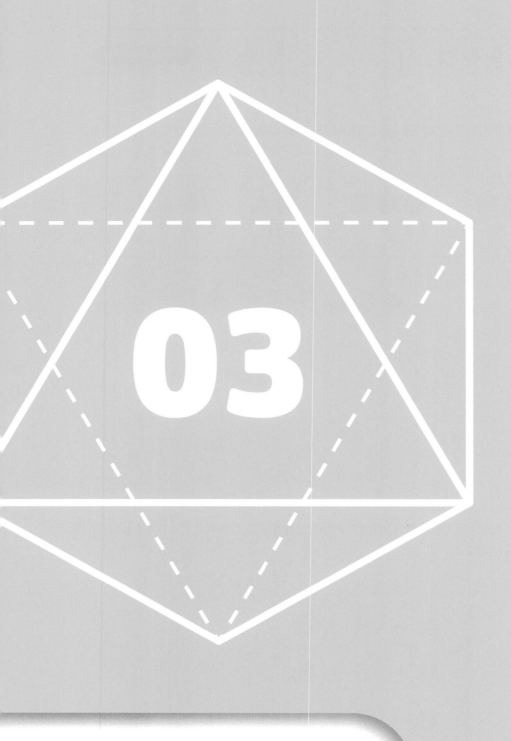

03

주고 받기

지호   예원

> **Math storyteller**
>
> : 난 사탕을 **10**개 가지고 있어.
>
> : 나는 **4**개 가지고 있어.
>
> : 내가 너에게 사탕 몇 개를 주면 우리 둘이 가진 사탕 수가 같아질까?

● 지호는 사탕을 **10**개, 예원이는 **4**개 가지고 있습니다. 두 사람이 가진 사탕 수가 같아지려면 지호가 예원이에게 사탕 몇 개를 주어야 하는지 알아보세요.

[표를 이용하여 구하기]

지호가 가진 사탕 개수	10	9	8	
예원이가 가진 사탕 개수	4	5	6	
사탕 개수의 차	6	4		

지호가 예원이에게 사탕을 **1**개 줄 때마다 사탕 수의 차는 ☐ 씩 줄어듭니다.

차가 **0**이 되려면 지호가 예원이에게 사탕 ☐ 개를 주어야 합니다.

[그림 그려 구하기]

지호가 예원이보다 사탕을 **6**개 더 가지고 있으므로 **6**개의 절반인 ☐ 개를 주면 두 사람이 가진 사탕 수가 같아집니다.

서아는 구슬을 **5**개, 진우는 구슬을 **9**개 가지고 있습니다. 두 사람이 가진 구슬 수가 같아지려면 진우가 서아에게 구슬을 몇 개 주어야 할까요?

개수가 같아지도록 주기

모아서 절반으로 나누기

구슬은 모두 **10**개, **10**의 절반은 **5**이므로 각 묶음의 구슬 수가 **5**개가 되도록 오른쪽에서 왼쪽으로 **1**개를 옮깁니다.

차의 절반을 주기

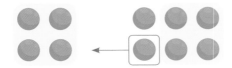

오른쪽이 왼쪽보다 **2**개 더 많으므로 **2**개의 절반인 **1**개를 옮기면 두 묶음의 구슬 수가 같아집니다.

1. 전체 구슬을 절반으로 나누면 두 묶음의 구슬 수가 같아집니다. 따라서 한 묶음의 구슬 수가 전체의 절반이 되도록 구슬이 많은 쪽에서 적은 쪽으로 옮깁니다.

2. 두 묶음의 구슬 수의 차를 구합니다. 그런 다음 구슬이 많은 쪽에서 차의 절반을 구슬이 적은 쪽으로 옮기면 두 묶음의 구슬 수가 같아집니다.

예제 1

지혜와 민호가 쌓기나무를 쌓았습니다. 두 사람이 쌓은 쌓기나무의 높이가 같아지도록 만듭니다. 알맞은 말을 골라 ○표 하고, 빈칸에 알맞은 수를 써넣으세요.

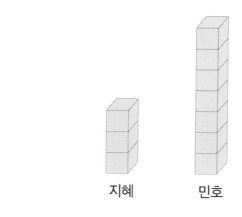

지혜   민호

(지혜 , 민호)가 (지혜 , 민호)에게 쌓기나무 ☐ 개를 주어야 합니다.

예제 2

접시에 사탕이 놓여 있습니다. 두 접시에 놓인 사탕 수가 같아지려면 ⓛ에서 ㉠으로 사탕 몇 개를 옮겨야 할까요?

㉠

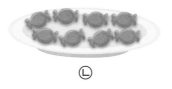

ⓛ

사과 10개를 민서가 수호보다 2개 더 많이 가지도록 나누려고 합니다. 민서와 수호가 가지는 사과는 각각 몇 개일까요?

민서: ☐ 개   수호: ☐ 개

한쪽이 더 많도록 나누기

구슬 5개를 지호가 예원이보다 1개 더 많이 가지도록 나누려고 합니다. 지호와 예원이가 가지는 구슬은 각각 몇 개일까요?

① 지호가 먼저 구슬 1개를 가져갑니다.

지호

② 남은 구슬을 두 사람이 똑같이 나누어 가집니다.

지호   지호   예원

③ 지호가 구슬 ☐ 개, 예원이가 ☐ 개를 가지게 됩니다.

1. 한 명이 더 많이 가지는 개수만큼 구슬을 먼저 가져갑니다.

2. 남은 구슬을 두 사람이 똑같이 나누어 가지면 한 명이 몇 개 더 가지도록 나눌 수 있습니다.

예제 1

구슬 **9**개를 지유와 한울이가 나누어 가지려고 합니다. 지유가 한울이보다 구슬을 **3**개 더 많이 가진다면 지유와 한울이가 가지는 구슬 수만큼 ○를 그려 보세요.

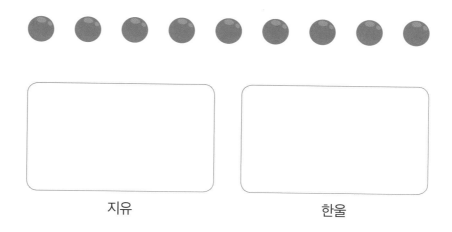

지유   한울

예제 2

다음을 보고 은아가 가진 색종이는 몇 장인지 구해 보세요.

• 은아: 우리 둘이 가진 색종이를 합하면 **8**장이야.
• 시후: 나는 너보다 색종이를 **4**장 더 많이 가지고 있어.

1 지호는 구슬 4개, 민서는 구슬 8개를 가지고 있습니다. 민서가 지호에게 구슬 4개를 주면 두 사람이 가진 구슬은 각각 몇 개가 될까요?

지호: ☐ 개   민서: ☐ 개

2 바나나 12개가 있습니다. 유나와 지민이가 바나나를 똑같이 나누어 가지려고 합니다. 유나와 지민이가 가지는 바나나는 각각 몇 개일까요?

유나: ☐ 개   지민: ☐ 개

3 정후는 과자 10개, 정민이는 과자 2개를 가지고 있습니다. 두 사람이 가진 과자 수가 같아지려면 정후가 정민이에게 과자 몇 개를 주어야 할까요?

정후   정민

4 풍선 11개를 찬영이가 예은이보다 3개 더 많이 가지도록 나누려고 합니다. 찬영이와 예은이가 가지는 풍선은 각각 몇 개일까요?

찬영: ☐ 개   예은: ☐ 개

5 접시 2개에 사과가 각각 5개씩 놓여 있습니다. ⓛ 접시의 사과가 ⓙ 접시의 사과보다 4개 더 많아지려면 ⓙ 접시에서 ⓛ 접시로 사과를 몇 개 옮겨야 할까요?

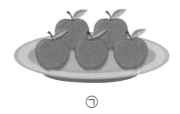
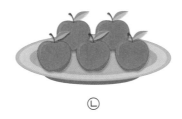

ⓙ   ⓛ

6 지우는 연필 3자루를 가지고 있습니다. 지우가 윤수에게서 연필 2자루 받았더니 두 사람이 가진 연필 수가 같아졌습니다. 윤수는 처음에 연필 몇 자루를 가지고 있었을까요?

7 ㉠과 ㉡ 주머니에 들어 있는 구슬을 모두 세었더니 **8**개입니다. ㉠ 주머니에는 ㉡ 주머니보다 구슬이 **6**개 더 많이 들어 있다면 두 주머니에 들어 있는 구슬은 각각 몇 개일까요?

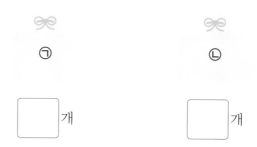

㉠ [   ] 개   ㉡ [   ] 개

8 연서와 지아가 가진 초콜릿을 합하면 **9**개입니다. 연서가 초콜릿을 **5**개 먹었더니 두 사람이 가진 초콜릿의 수가 같아졌습니다. 처음에 연서는 초콜릿을 몇 개 가지고 있었을까요?

1 지우는 사탕을 **7**개, 현서는 **2**개 가지고 있고, 민아는 사탕을 가지고 있지 않습니다. 세 친구가 가진 사탕의 수가 모두 같아지려면 지우가 현서와 민아에게 사탕을 각각 몇 개 주어야 할까요?

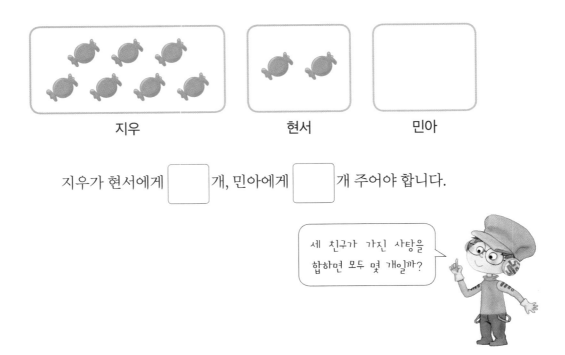

지우가 현서에게 ☐ 개, 민아에게 ☐ 개 주어야 합니다.

> 세 친구가 가진 사탕을 합하면 모두 몇 개일까?

2 다음을 보고 세 친구가 가진 연필은 각각 몇 자루인지 구해 보세요.

- 지호: 나는 연필을 **4**자루 가지고 있어.
- 민서: 내가 예원이에게 연필 **1**자루를 준다면 우리 셋이 가진 연필 수가 모두 같아져.
- 예원: 내가 연필을 가장 적게 가지고 있어.

지호: ☐ 자루   민서: ☐ 자루   예원: ☐ 자루

● 다음을 보고 준우의 나이는 몇 살인지 구해 보세요.

> • 준우와 준우 동생의 나이를 합하면 12살입니다.
> • 동생은 준우보다 2살 더 적습니다.

● 은서와 연지가 가진 구슬을 합하면 10개입니다. 은서가 연지에게 구슬 1개를 주었더니 두 사람이 가진 구슬 수가 같아졌습니다. 처음에 두 사람이 가진 구슬은 각각 몇 개인지 물음에 답하세요.

(1) 은서가 연지에게 구슬을 준 후 마지막에 두 사람이 가진 구슬은 각각 몇 개일까요?

은서: ☐ 개   연지: ☐ 개

(2) 은서가 연지에게 구슬을 주기 전 처음에 두 사람이 가진 구슬은 각각 몇 개일까요?

은서: ☐ 개   연지: ☐ 개

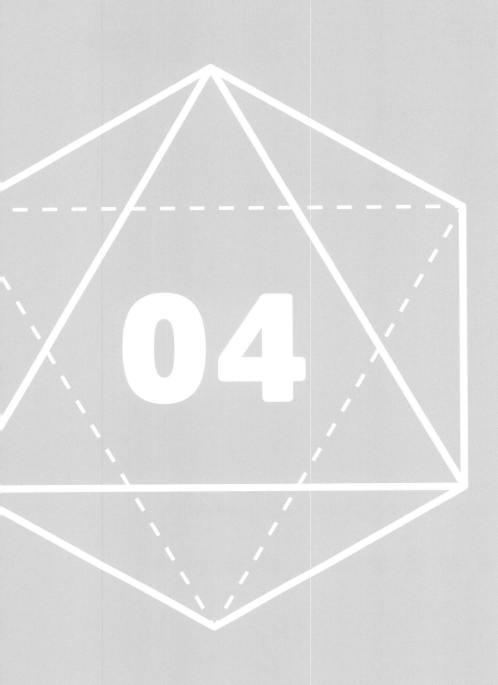

04

연산 규칙

연산 규칙

지호　　예원

> **Math storyteller**
>
> : 규칙을 정해서 도미노를 모으고 있어. 이건 내가 모은 도미노야.
>
>
>
> : 음... 어떤 규칙으로 모은 걸까?
>
> : 도미노 점의 수를 잘 살펴보면 규칙을 찾을 수 있어.

● 어떤 규칙에 따라 도미노를 모았습니다. 이 규칙에 맞는 도미노를 찾아 모두 ○표 하세요.

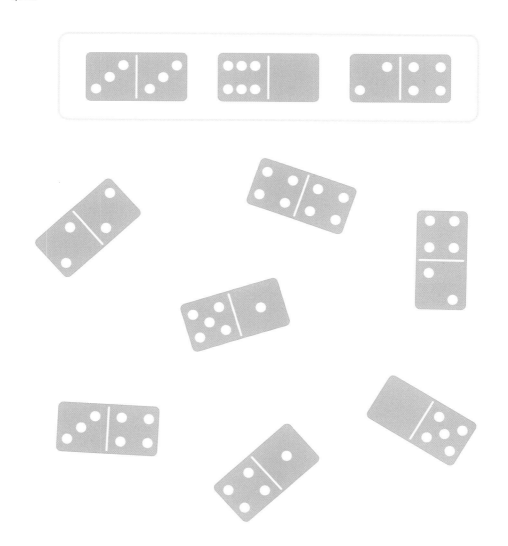

수가 상자에 들어가면 일정한 규칙에 따라 바뀌어 나옵니다. 규칙을 찾아 빈칸에 알맞은 수를 써넣으세요.

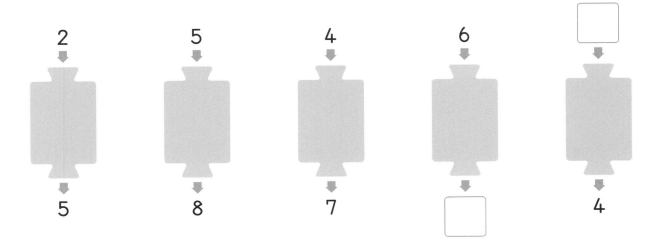

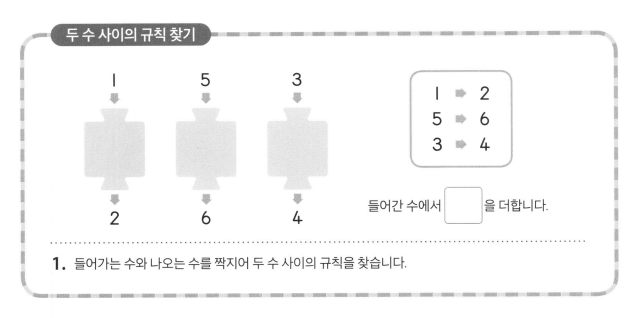

들어간 수에서 [ ]을 더합니다.

1. 들어가는 수와 나오는 수를 짝지어 두 수 사이의 규칙을 찾습니다.

예제 1

규칙을 찾아 빈칸에 알맞은 수를 써넣으세요.

8 ⟹ 4

11 ⟹ 7

6 ⟹ 2

9 ⟹ ☐

예제 2

구슬에 적힌 수 사이에 일정한 규칙이 있습니다. 빈 구슬에 알맞은 수를 써넣으세요.

규칙을 찾아 빈칸에 알맞은 수를 써넣으세요.

4	4
3	5

9	1
5	5

2	3
1	4

6	
7	2

연산 규칙 찾기

위쪽 두 수의 합이 아래쪽 수입니다.

   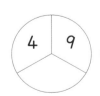

왼쪽 수는 아래 수의 십의 자리, 오른쪽 수는 아래 수의 일의 자리 숫자입니다.

1. 수의 합과 차를 이용하여 수 사이의 관계를 찾습니다.

2. 자릿수를 이용하여 수 사이의 관계를 찾습니다.

예제 1

규칙을 찾아 빈칸에 알맞은 수를 써넣으세요.

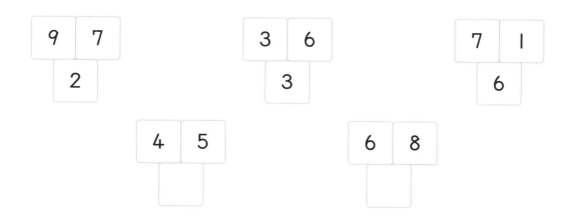

예제 2

규칙을 찾아 빈칸에 알맞은 수를 써넣으세요.

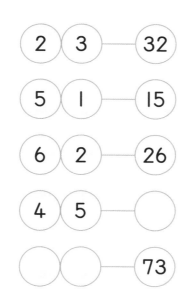

1 구슬을 주머니에 넣었다 빼면 구슬에 적힌 수가 일정한 규칙에 따라 바뀝니다. 주머니에서 나온 구슬에 적힌 수가 5라면 주머니에 넣을 때 적힌 수는 얼마였을까요?

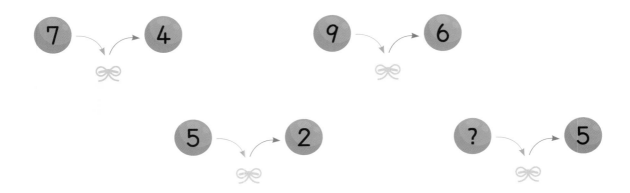

2 수가 상자에 들어가면 일정한 규칙에 따라 바뀌어 나옵니다. 6이 상자에 들어가면 나오는 수는 얼마일까요?

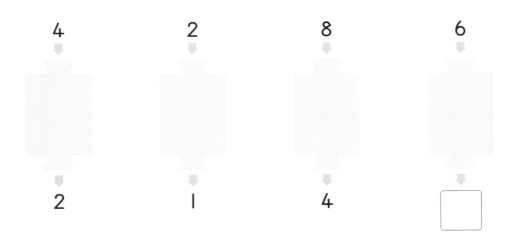

3 지호는 도미노를 늘어놓고 일정한 규칙에 따라 ○ 또는 ✕로 표시했습니다. 규칙을 찾아 나머지 도미노에 ○ 또는 ✕표를 해 보세요.

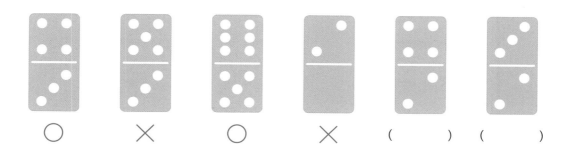

○   ✕   ○   ✕   (   )   (   )

4 규칙을 찾아 빈칸에 알맞은 수를 써넣으세요.

1	3	2	1	4
3	7	4		9
2	4	2	6	

5 화살표의 색깔에 따라 어떤 규칙으로 수가 바뀝니다. 수가 바뀌는 규칙을 찾아 빈칸에 알맞은 수를 써넣으세요.

6 규칙을 찾아 빈칸에 알맞은 수를 써넣으세요.

2	4
3	1

5	6
4	3

7	9
4	2

8	
1	4

7 규칙을 찾아 가운데 빈 곳에 알맞은 두 자리 수를 써넣으세요.

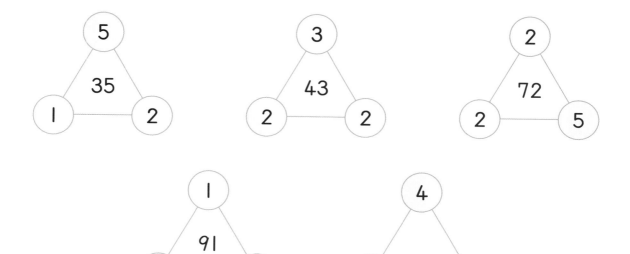

8 규칙을 찾아 빈칸에 알맞은 수를 써넣으세요.

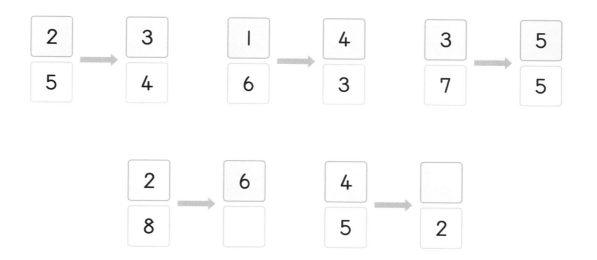

1 구슬 2개를 주머니에 넣으면 일정한 규칙에 따라 두 자리 수로 바뀌어 나옵니다. 규칙을 찾아 3과 5 를 넣었을 때 나오는 두 자리 수를 구해 보세요.

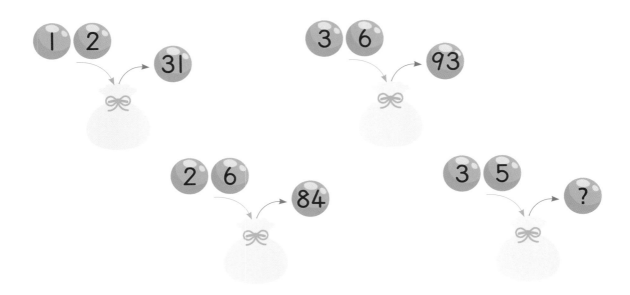

2 어떤 규칙으로 수를 늘어놓았습니다. 규칙을 찾아 빈칸에 알맞은 수를 써넣으세요.

$$99 \implies 18 \implies 9$$

$$87 \implies 15 \implies 6$$

$$56 \implies 11 \implies 2$$

$$48 \implies \boxed{} \implies 3$$

$$77 \implies 14 \implies \boxed{}$$

04 경시 기출 유형

● 일정한 규칙에 따라 수를 써넣었습니다. 색칠된 칸에 알맞은 수를 써넣으세요.

● 어떤 규칙에 따라 ◯와 ☐ 안에 수를 써넣었습니다. 규칙을 찾아 ㉠에 들어갈 두 자리 수를 구해 보세요. 단, ▲가 나타내는 수는 같습니다.

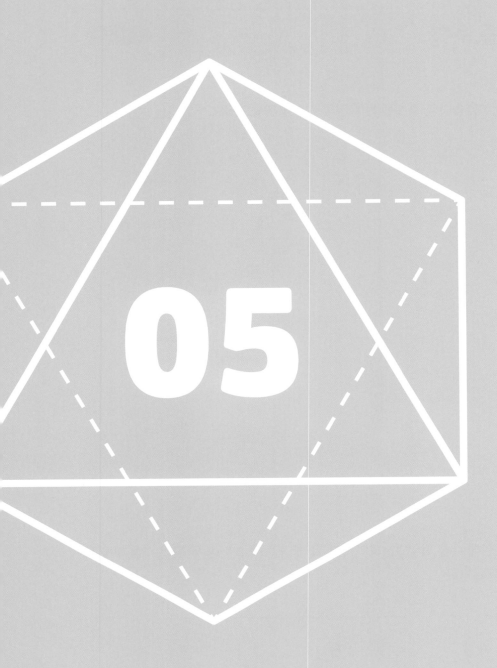

05

속성

지호 예원

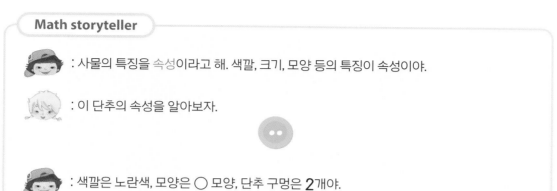

: 사물의 특징을 속성이라고 해. 색깔, 크기, 모양 등의 특징이 속성이야.

: 이 단추의 속성을 알아보자.

: 색깔은 노란색, 모양은 ◯ 모양, 단추 구멍은 **2**개야.

● 예원이와 지호가 단추 맞히기 놀이를 하고 있습니다. 대화를 읽고, 지호가 생각하는
단추에 ◯표 하세요.

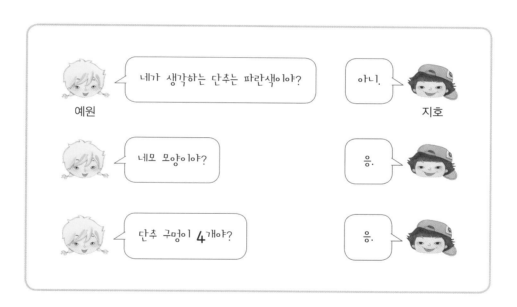

예원: 네가 생각하는 단추는 파란색이야?
지호: 아니.

예원: 네모 모양이야?
지호: 응.

예원: 단추 구멍이 **4**개야?
지호: 응.

공통점이 있는 단추끼리 모았습니다. 잘못 모은 단추 하나를 찾아 ✕표 하세요.

공통점이 있는 것끼리 모으기

단추의 속성

단추 속성						
색깔	초록색		파란색			
모양	○				△	
구멍의 수	4개	2개				

1. 단추는 색깔, 모양, 구멍의 수의 속성이 있습니다.

예제 1

공통점이 있는 단추끼리 모았습니다. 공통적인 속성에 ○표 하세요.

(1)

색깔　　　모양　　　구멍의 수

(2)

색깔　　　모양　　　구멍의 수

예제 2

속성이 다른 하나를 찾아 ×표 하세요.

조건에 맞는 모양을 찾아 ○표 하세요.

> • 바깥쪽 모양은 □ 모양입니다.
> • 안쪽 모양은 ☆ 모양이 아닙니다.
> • 파란색이 아닙니다.

조건에 맞는 속성

바깥쪽 모양은 ○ 모양, 안쪽 모양은 △ 모양이면서 빨간색이 아닌 모양을 찾아보세요.

① 바깥쪽 모양이 ○ 모양이   ② 안쪽 모양이 △ 모양이   ③ 빨간색인 것에 ✕ 표
아닌 것에 ✕ 표 합니다.   아닌 것에 ✕ 표 합니다.   합니다.

    ➡   ➡

1. 조건을 만족하지 않는 것에 ✕ 표 하면서 모든 조건을 만족하는 것을 찾습니다.

예제 1

노란색이면서 홀수가 적힌 구슬에 모두 ○표 하세요.

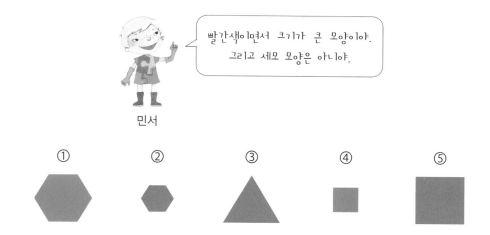

예제 2

민서가 설명하는 모양을 고르세요.

빨간색이면서 크기가 큰 모양이야.
그리고 세모 모양은 아니야.

민서

① ② ③ ④ ⑤

1 공통점이 있는 카드끼리 모았습니다. 빈 곳에 들어갈 카드에 ◯표 하세요.

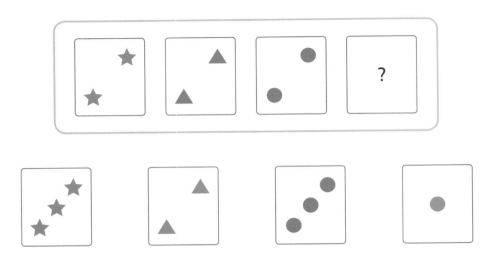

2 나머지와 다른 컵 하나에 ✕표 하세요.

3 구멍이 2개이면서 네모 모양인 단추는 모두 몇 개일까요?

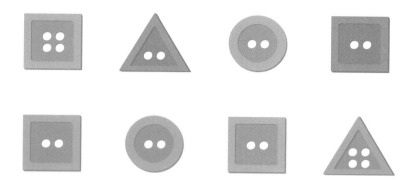

4 바퀴가 있으면서 하늘을 날지 못하는 것을 모두 고르세요.

5 다음 조건에 맞는 모양을 골라 모두 ◯표 하세요.

> • 노란색이 아닙니다.
> • 크기가 작은 모양입니다.
> • 네모 모양이 아닙니다.

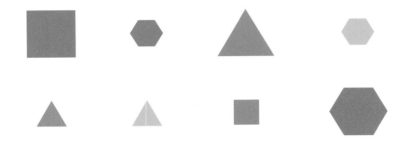

6 공통점이 있는 것끼리 두 묶음으로 모았습니다. 각 묶음마다 잘못 모은 것을 하나씩 찾아 ✕표 하세요.

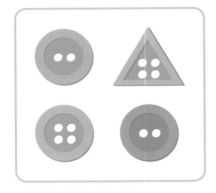 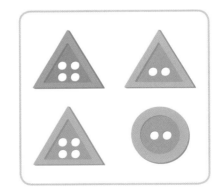

7 예원이가 설명하는 모양을 찾아 ○표 하세요.

8 다음 대화를 읽고, 수아가 생각하는 공에 ○표 하세요.

1   우즐카드는 모양, 색깔, 털, 구멍 수의 **4**가지 속성을 가진 카드로 **16**장이 있습니다. 우즐카드를
    보고 물음에 답하세요.

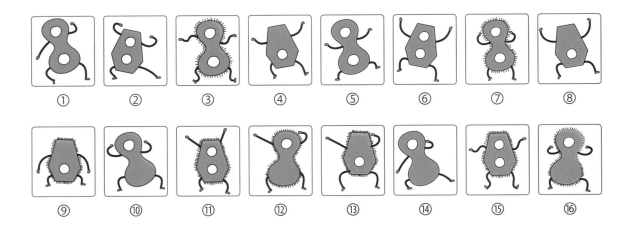

(1) 다음 우즐카드 중에서 나머지와 다른 하나에 ✕표 하세요.

(2) 조건에 맞는 우즐카드의 번호를 써 보세요.

> • 몸의 모양이 곧은 선입니다.
> • 구멍이 **2**개입니다.
> • 털이 없습니다.
> • 파란색이 아닙니다.

● 다음 우즐카드 중에서 구멍이 ❘개이면서 털이 없는 카드는 모두 몇 장일까요?

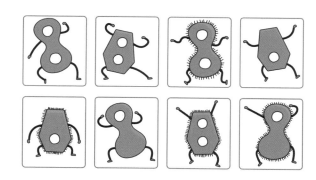

● 단추는 모양, 색깔, 구멍 수의 속성을 가지고 있습니다. 주어진 단추와 속성이 모두 다른 단추를 고르세요.

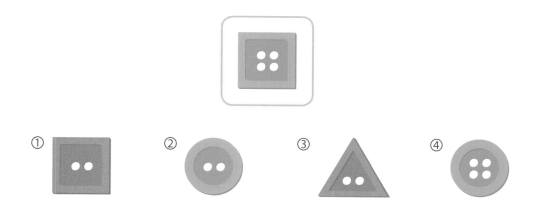

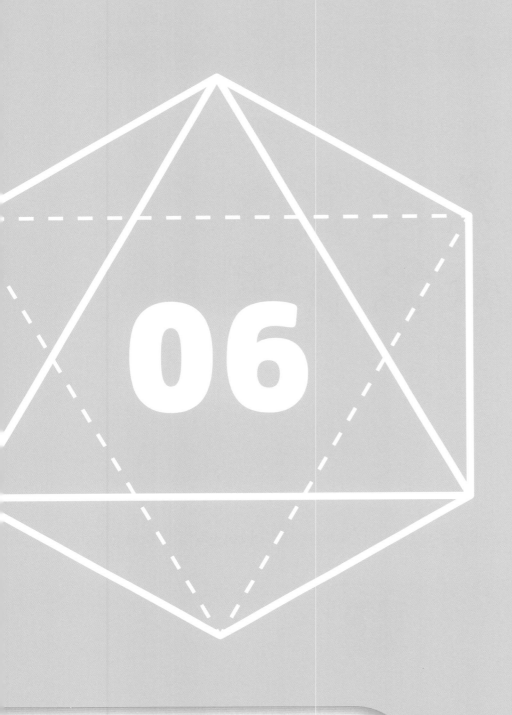

06

위치와 순서

개념 06 위치와 순서

지호   예원

Math storyteller

 : 나는 예원이보다 키가 작아.

 : 내 키가 가장 크지는 않아.

● 지호, 예원, 지한, 수아가 키를 비교했습니다. 키가 가장 큰 친구부터 차례로 이름을 써
보세요.

$$\boxed{} - \boxed{} - \boxed{} - \boxed{}$$

선반에 사과, 포도, 딸기, 감이 한 줄로 나란히 놓여 있습니다. 조건을 보고 빈칸에 알맞은 과일의 이름을 써넣으세요.

> • 사과는 포도 바로 옆에 있지 않습니다.
> • 사과는 왼쪽에서 둘째에 있습니다.
> • 딸기와 포도는 양쪽 끝에 있습니다.

한 줄 위치 정하기

두 번째 조건
: 사과는 왼쪽에서 둘째에 있습니다.

왼쪽 [ ] [사과] [ ] [ ] 오른쪽

↓

첫 번째 조건
: 포도는 사과와 떨어져 있습니다.

왼쪽 [ ] [사과] [ ] [포도] 오른쪽

1. 사물의 위치를 확실히 알 수 있는 조건부터 찾습니다. 가장 먼저 해결할 조건을 찾는 것이 중요합니다.

2. 위치가 정해진 사물과 나머지 조건을 보고 모든 사물의 위치를 찾습니다.

예제 1

지안, 민규, 세희, 주성이가 한 줄로 서 있습니다. 대화를 보고 빈칸에 알맞게 이름을 써넣으세요.

> • 지안: 나는 주성이보다 앞에 서 있어.
> • 민규: 나는 지안이와 주성이 사이에 서 있어.
> • 세희: 나는 맨 뒤에 서 있어.

앞 ⬚ – ⬚ – ⬚ – ⬚ 뒤

예제 2

지호, 민서, 수아, 호수가 달리기를 했습니다. 지호는 **3**등으로 들어왔고, 민서는 수아보다 먼저 들어왔지만 **1**등은 아닙니다. 가장 늦게 들어온 사람은 누구일까요?

지호   민서   수아   호수

모자, 목도리, 장갑, 양말을 서랍장에 하나씩 넣으려고 합니다. 조건에 보고 빈칸에 알맞은 물건의 이름을 써넣으세요.

> • 목도리와 장갑은 아래쪽 서랍에 넣습니다.
> • 목도리 바로 위에 모자를 넣습니다.
> • 양말은 오른쪽 위 서랍에 넣습니다.

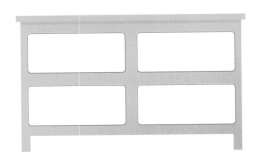

두 줄 위치 정하기

세 번째 조건
: 양말은 오른쪽 위 서랍에 있습니다.   ➡

	위	
왼쪽		양말
		오른쪽
	아래	

첫 번째 조건
: 목도리와 장갑은 아래쪽 서랍에 있으므로 모자는 위쪽 서랍에 있습니다.

	위	
왼쪽	모자	양말
		오른쪽
	아래	

....

1. 위치를 확실히 알 수 있는 조건부터 찾습니다.

2. 상하, 좌우 등 모든 방향에 주의하면서 나머지 조건에 맞게 모든 사물의 위치를 찾습니다.

예제 1

예원이가 다음 **4**칸을 각각 빨간색, 파란색, 초록색, 노란색으로 색칠했습니다. 예원이가 한 말을 읽고, 노란색으로 색칠한 칸에 ○표 하세요.

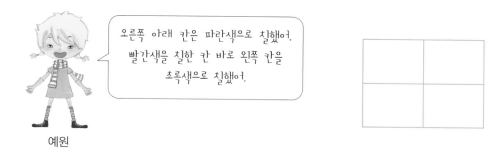

오른쪽 아래 칸은 파란색으로 칠했어.
빨간색을 칠한 칸 바로 왼쪽 칸을
초록색으로 칠했어.

예원

예제 2

조건에 맞게 빈칸에 **1, 2, 3, 4**를 써넣으세요.

· **2**의 왼쪽에 **3**이 있습니다.
· **1**은 **2**의 바로 아래에 있습니다.

1 준성, 민지, 소희, 지우는 **4**층짜리 아파트에 살고, 각 층에는 한 명씩만 삽니다. 대화를 보고 빈칸에 알맞은 친구의 이름을 써넣으세요.

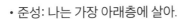

- 준성: 나는 가장 아래층에 살아.
- 민지: 나는 지우보다 아래층에 살아.
- 소희: 나는 준성이 바로 위층에 살아.

4층

3층

2층

1층

2 시안, 연서, 태우, 정우가 서로 키를 비교하였습니다. 키가 셋째로 큰 사람은 누구일까요?

- 시안이의 키는 태우보다 작지만 정우보다는 큽니다.
- 연서보다 키가 큰 사람은 태우뿐입니다.

3 경찰서, 우체국, 은행, 소방서가 한 줄로 나란히 있습니다. 조건을 보고 빈칸에 알맞은 이름을 써넣으세요.

> • 경찰서와 우체국 사이에 소방서가 있습니다.
> • 경찰서와 은행은 양쪽 끝에 있습니다.
> • 은행 바로 왼쪽에는 아무 건물도 없습니다.

4 지호, 예원, 민서, 호수가 달리기를 했습니다. 민서보다 늦게 들어온 사람은 몇 명일까요?

5 2층 건물 2개의 각 층에 약국, 치과, 안과, 안경점이 있습니다. 조건을 보고 빈칸에 알맞은 이름을 써 넣으세요.

> • 치과는 2층에 있습니다.
> • 약국 바로 위에 안과가 있습니다.
> • 안경점은 왼쪽 건물에 있습니다.

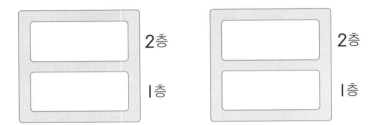

6 도로를 사이에 두고 꽃집, 문구점, 분식집, 서점이 있습니다. 조건을 보고 빈칸에 알맞은 가게의 이름을 써넣으세요.

> • 문구점은 횡단보도 바로 위쪽에 있습니다.
> • 분식집에서 횡단보도를 건너 서점까지 가는 길이 가장 멉니다.
> • 서점과 꽃집은 도로 아래쪽에 있습니다.

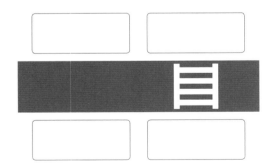

7 지유, 승지, 한솔, 해수가 한 줄로 서 있습니다. 지유가 한 말을 보고 가장 앞에 서 있는 사람은 누구인지 구해 보세요.

> 지유: 해수는 키가 가장 커서 맨 뒤에 서 있어.
>
> 해수 바로 앞에 승지가 서 있고,
>
> 나는 가장 앞에 서 있지 않아.

8 동물들이 2층 아파트에 살고 있습니다. 동물들의 대화를 보고 고양이, 여우, 사슴, 토끼의 집을 찾아 빈칸에 알맞은 동물의 이름을 써넣으세요.

> • 고양이: 나는 사슴과 다람쥐와 같은 층에 살아.
> • 너구리: 나의 바로 옆집에는 여우가 살아.
> • 사슴: 나는 양쪽 끝집에 살지 않아.

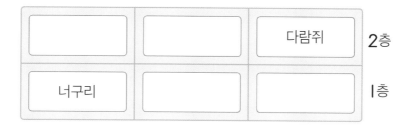

06 심화 문제

1 조건을 보고 빈칸에 1, 2, 3, 4, 5를 알맞게 써넣으세요.

- 1 바로 위에 5가 있습니다.
- 3 바로 오른쪽에 1이 있습니다.
- 2는 가장 아래쪽 칸에 있습니다.

2 호수, 지한, 민서, 수아가 ◯로 표시된 칸 안에 한 명씩 서 있습니다. 민서와 수아 사이에 있는 ◯는 몇 개일까요?

- 호수: 나의 오른쪽으로 둘째 칸에 지한이가 서 있어.
- 지한: 나의 왼쪽으로 셋째 칸에 민서가 서 있어.
- 수아: 나의 바로 왼쪽 칸에 지한이가 서 있어.

● 조건을 보고 빈칸에 1, 2, 3, 4를 알맞게 써넣으세요.

> • 2는 가장 앞에 있지 않습니다.
> • 2 바로 뒤에는 2보다 큰 수가 있습니다.
> • 가장 큰 수를 앞에서 둘째에 놓습니다.

앞 | | | | 뒤

● 호건, 윤지, 시후, 다희의 키를 비교했습니다. 다음을 보고 키가 가장 작은 사람은 누구인지 구해 보세요.

> • 호건이는 윤지보다 작습니다.
> • 시후는 다희보다 작습니다.
> • 호건이는 다희보다 큽니다.

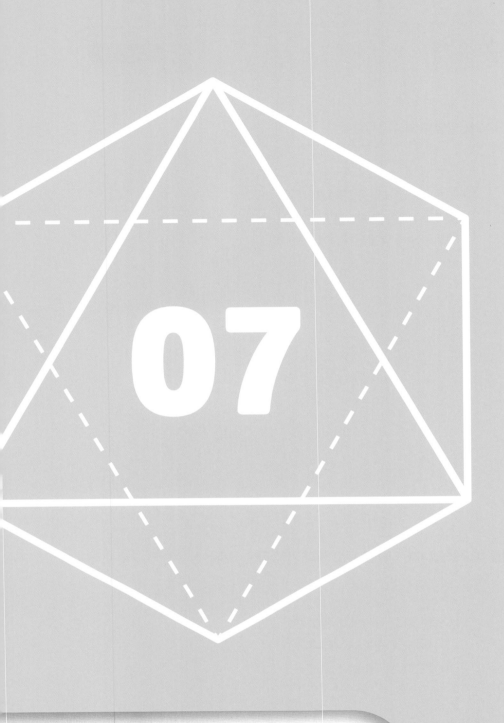

07

색칠하기

색칠하기

지호   예원

Math storyteller

 : 바나나, 포도, 사과가 있어. 이 중 과일 **2**개를 바구니에 담으려고 해. 바구니에 과일을 담는 방법은 모두 몇 가지일까?

   ➡

 : 바나나를 담는다고 하면 나머지 과일은 포도 또는 사과를 담을 수 있어.

 : 바나나를 담고 포도를 담는 것과 포도를 담고 바나나를 담는 것은 결국 같은 방법이야.

● 바나나, 포도, 사과 중 **2**개의 과일을 바구니에 담으려고 합니다. 선을 그어 여러 가지 방법으로 과일 **2**개를 바구니에 담아 보세요.

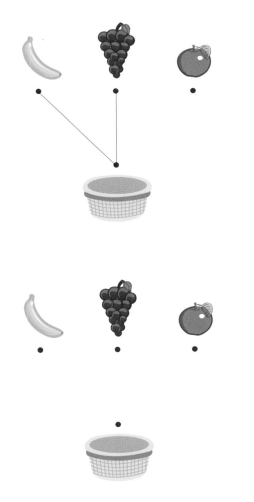

과일 **3**개 중 **2**개를 바구니에 담는 방법은 모두 **3**가지야.

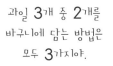

예원

다음 4칸 중 몇 개의 칸을 색칠하려고 합니다. 물음에 답하세요.

(1) 4칸 중 1칸을 색칠합니다. 여러 가지 방법으로 색칠해 보세요.

(2) 4칸 중 2칸을 색칠하는데 위쪽에 한 칸, 아래쪽에 한 칸을 색칠합니다. 여러 가지 방법으로 색칠해 보세요.

같은 색으로 색칠하기

4칸 중 위쪽과 아래쪽에 각각 1칸씩 색칠하기

①	②
③	④

1) ①을 색칠하는 경우 → (①, ③), (①, ④)를 색칠할 수 있습니다.

2) ②를 색칠하는 경우 → (②, ③), (②, ④)를 색칠할 수 있습니다.

1. 같은 색을 여러 칸 색칠하는 경우 첫 번째 칸을 색칠하는 방법부터 찾습니다.

2. 첫 번째 칸을 색칠하는 방법을 모두 찾으면 그 다음으로 첫 번째 칸을 제외하고 두 번째 칸을 색칠하는 방법을 찾습니다. 이와 같은 방법으로 색칠할 수 있는 모든 경우를 찾습니다.

예제 1

3개의 칸 중 1개의 칸에만 ○를 그려 넣으려고 합니다. 여러 가지 방법으로 ○를 그려 보세요.

예제 2

3개의 칸 중 2개의 칸에 ○를 그려 넣으려고 합니다. 여러 가지 방법으로 ○를 그려 보세요.

1개의 칸에 동그라미를 그리지 않는 것과 같아.

깃발 2개를 빨간색 또는 파란색으로 색칠하려고 합니다. 여러 가지 방법으로 깃발을 색칠해 보세요. 단, 같은 색을 여러 번 사용할 수 있습니다.

(1) 위쪽 깃발을 빨간색으로 색칠하는 방법을 모두 찾아 색칠해 보세요.

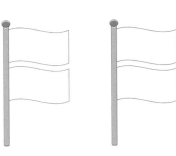

(2) 위쪽 깃발을 파란색으로 색칠하는 방법을 모두 찾아 색칠해 보세요.

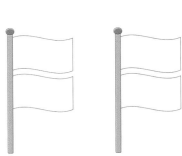

여러 가지 색으로 색칠하기

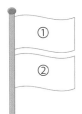

① ②

1) ①에 빨간색을 색칠하는 경우 → ②에는 빨간색 또는 파란색을 색칠할 수 있습니다.

2) ①에 파란색을 색칠하는 경우 → ②에는 빨간색 또는 파란색을 색칠할 수 있습니다.

1. 여러 가지 색으로 색칠할 때는 같은 색을 한 번만 사용할 수 있는지 여러 번 사용할 수 있는지 구분해야 합니다.

2. 여러 가지 색으로 색칠하는 경우 첫 번째 칸에 어떤 하나의 색을 색칠하는 방법부터 찾습니다.

예제1

각 칸에 빨간색 또는 초록색을 색칠하여 신호등 모양을 완성하려고 합니다. 여러 가지 방법으로 색칠해 보세요. 단, 같은 색을 여러 번 사용할 수 없습니다.

예제 2

깃발 2개를 여러 가지 색깔로 칠하려고 합니다. 위쪽은 노란색 또는 빨간색으로 색칠하고, 아래쪽은 파란색 또는 초록색으로 색칠하는 방법을 모두 찾아 색칠해 보세요.

위쪽을 노란색으로 칠하는 경우부터 찾아봐.

1 포도 맛, 사과 맛, 레몬 맛 사탕이 있습니다. 물음에 답하세요.

(1) 한 가지 맛 사탕을 접시에 담는 방법을 모두 찾아 선을 그어 보세요.

(2) 두 가지 맛 사탕을 접시에 담는 방법을 모두 찾아 선을 그어 보세요.

2 셔츠와 바지를 초록색 또는 파란색으로 색칠하려고 합니다. 물음에 답하세요. 단, 같은 색깔을 여러 번 사용할 수 있습니다.

(1) 셔츠를 초록색으로 색칠하는 방법을 모두 찾아 색칠해 보세요.

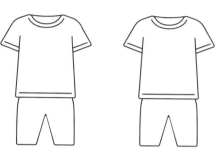

(2) 셔츠를 파란색으로 색칠하는 방법을 모두 찾아 색칠해 보세요.

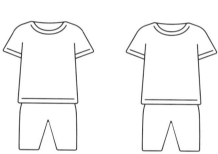

3 집 모양을 색칠합니다. 지붕은 파란색 또는 빨간색으로 색칠하고, 벽은 초록색 또는 노란색으로 색칠하는 방법을 모두 찾아 색칠해 보세요.

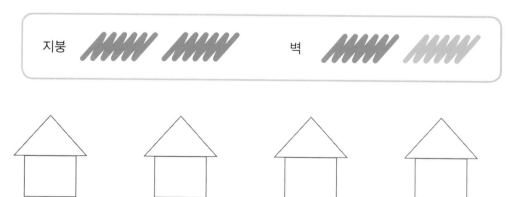

4 보기 는 3칸 중 이웃한 2칸을 색칠하는 방법입니다. 물음에 답하세요.

(1) 여러 가지 방법으로 다음 4칸 중 이웃한 2칸을 색칠해 보세요.

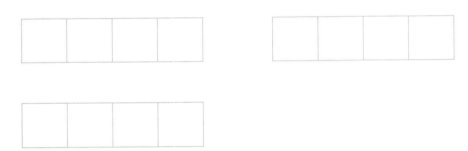

(2) 여러 가지 방법으로 다음 4칸 중 이웃한 2칸을 색칠해 보세요.

5 깃발 **3**칸을 파란색 또는 노란색으로 색칠하려고 합니다. 같은 색을 여러 번 사용할 수 있지만 서로 연결된 칸은 다른 색으로 색칠해야 합니다. 여러 가지 방법으로 색칠해 보세요.

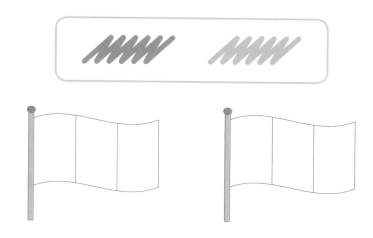

6 **4**개의 점 중 **3**개를 연결하여 여러 가지 방법으로 세모 모양을 그려 보세요.

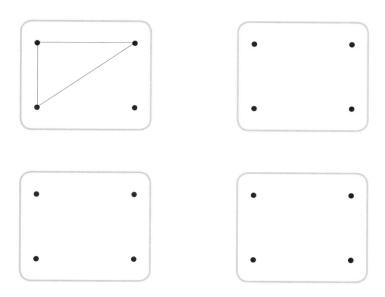

1 보기 는 집에서 놀이터까지 가는 방법을 나타낸 것으로 모두 **2**가지가 있습니다. 물음에 답하세요.

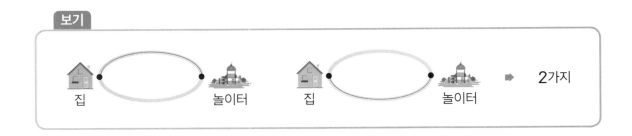

(1) 집에서 놀이터까지 가는 방법을 모두 그리고, 모두 몇 가지인지 써 보세요.

➡ ☐ 가지

(2) 집에서 편의점을 지나 놀이터까지 가는 방법을 모두 그리고, 모두 몇 가지인지 써 보세요. 단, 한 번 지나간 곳은 다시 지나지 않습니다.

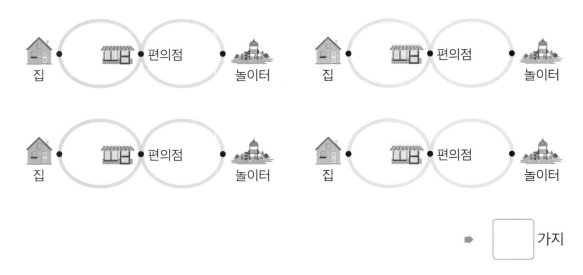

➡ ☐ 가지

● 갈색 쌓기나무 **2**개와 노란색 쌓기나무 **1**개가 있습니다. 이 쌓기나무 **3**개를 한 줄로 높이 쌓는 방법은 모두 몇 가지일까요?

● 조건에 맞게 여러 가지 방법으로 ○를 그려 넣으세요.

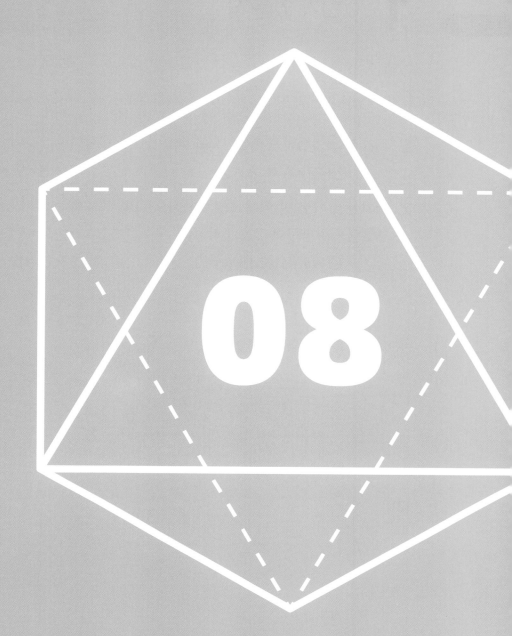

08

리뷰

1 □가 있는 식

1. □가 있는 덧셈식은 뺄셈식으로 바꾸어 □를 구합니다.

$$2 + \square = 6 \Rightarrow 6 - 2 = \square \qquad \square + 3 = 7 \Rightarrow 7 - 3 = \square$$

2. 빼지는 수가 □인 뺄셈식은 덧셈식으로 바꾸고, 빼는 수가 □인 뺄셈식은 또다른 뺄셈식으로 바꾸어 □를 구합니다.

$$\square - 4 = 1 \Rightarrow 1 + 4 = \square \qquad 9 - \square = 5 \Rightarrow 9 - 5 = \square$$

1. 빈칸에 알맞은 수를 써넣으세요.

(1)

$$6 \xrightarrow{- \boxed{3}} \boxed{} \xrightarrow{+ \boxed{}} 8$$

(2)

$$7 \xrightarrow{- \boxed{}} \boxed{} \xrightarrow{+ \boxed{3}} 9$$

2. 빈칸에 알맞은 수를 써넣어 퍼즐을 완성해 보세요.

	−	4	=	3
−				+
=				=
2	+		=	5

□가 있는 식을 세워 풀기

1. 문제에서 구할 수 있는 것부터 구합니다.

2. 구한 수를 이용하여 □가 있는 식을 세우고, 어떤 수(□)를 구합니다.

$\underset{4}{\underline{9\text{보다 }5\text{ 작은 수}}}$ 는 $\underset{\square+2}{\underline{\text{어떤 수에 }2\text{를 더한 수}}}$ 입니다. 어떤 수는 얼마일까요?

$$\square + 2 = 4 \;\Rightarrow\; 4 - 2 = \square \qquad \text{어떤 수: } \boxed{2}$$

---

1. 어떤 수에서 3을 뺀 수는 5보다 1 큰 수와 같습니다. 어떤 수는 얼마일까요?

2. 와 는 각각 얼마일까요?

> · 8은 보다 2 큰 수입니다.
> · 은 보다 1 작은 수입니다.

: ⬜   : ⬜

| 모양이 나타내는 수 |

1. 같은 모양끼리 더하는 식을 찾아 그 모양이 나타내는 수를 구합니다.

2. 1에서 구한 수를 이용하여 나머지 모양이 나타내는 수를 구합니다.

$$■ + ■ = 4 \qquad ② + ② = 4 \qquad ② + ② = 4$$
$$▲ - ■ = 1 \qquad ▲ - ② = 1 \quad ➡ \quad ③ - ② = 1$$
$$● + ▲ = 7 \qquad ● + ▲ = 7 \qquad ④ + ③ = 7$$

---

1. 같은 모양은 같은 수, 다른 모양은 다른 수를 나타냅니다. 각 모양이 나타내는 수를 구해 보세요.

◆ : ☐

▲ : ☐

★ : ☐

2. 지호와 예원이가 과녁에 화살을 쏘았습니다. 지호는 ㉠에 2번 맞혀 6점을 받았고, 예원이는 ㉠에 1번, ㉡에 1번 맞혀 5점을 받았습니다. 과녁의 ㉠과 ㉡은 각각 몇 점을 나타낼까요?

㉠ : ☐ 점

㉡ : ☐ 점

//// 가로세로 덧셈 퍼즐 ////////////////////

1. 2, 3, 4, 5를 한 번씩 써넣어 가로줄 두 수의 합은 오른쪽 수, 세로줄 두 수의 합은 위쪽 수가 되도록 만듭니다.

2. 합이 가장 작거나 큰 경우의 두 수부터 구합니다. (합이 5인 두 수는 2, 3이므로 오른쪽 칸에 2, 3, 왼쪽 칸에 남은 4, 5가 들어갑니다.)

3. 오른쪽 수에 맞게 2와 3, 4와 5를 알맞게 써넣습니다.

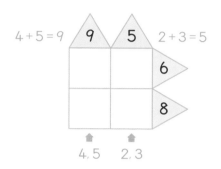 ⇨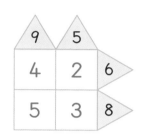

---

1. 주어진 수를 한 번씩 써넣어 가로줄과 세로줄의 두 수의 합이 오른쪽과 위쪽 수가 되도록 만들어 보세요.

(1) 2 4 6 8

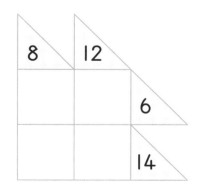

(2) 1 4 5 7

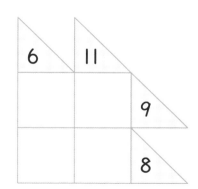

개수가 같아지도록 주기

1. 모아서 절반으로 나누는 방법

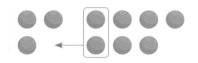

구슬은 모두 10개, 10의 절반은 5이므로 각 묶음의 구슬 수가 5개가 되도록 오른쪽에서 왼쪽으로 2개를 옮깁니다.

2. 차의 절반을 주는 방법

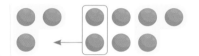

오른쪽이 왼쪽보다 4개 더 많으므로 4개의 절반인 2개를 옮기면 두 묶음의 구슬 수가 같아집니다.

---

1. 두 묶음에 있는 구슬 수가 같아지려면 ㉠에서 ㉡으로 구슬을 몇 개 옮겨야 할까요?

2. 민호는 사탕을 9개, 은지는 3개 가지고 있습니다. 두 사람이 가진 사탕 수가 같아지려면 민호가 은지에게 사탕을 몇 개 주어야 할까요?

3. 수민이는 색종이를 8장 가지고 있습니다. 수민이가 승기에게 색종이 2장을 주었더니 두 사람이 가진 색종이 수가 같아졌습니다. 승기는 처음에 색종이를 몇 장 가지고 있었을까요?

한쪽이 더 많도록 나누기

1. 두 사람이 구슬을 나누어 가지는데 한 사람이 몇 개 더 많이 가지도록 나누려고 합니다.

2. 먼저 한 사람이 더 많이 가지는 개수만큼 구슬을 가져갑니다.

3. 가져가고 남은 구슬을 두 사람이 똑같이 나누어 가집니다.

---

1. 구슬 8개를 지한이와 수아가 나누어 가지려고 합니다. 지한이가 수아보다 2개 더 많이 가진다면 지한이와 수아는 구슬을 각각 몇 개씩 가지게 될까요?

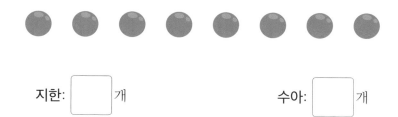

지한: ⬜ 개   수아: ⬜ 개

2. 은서와 현승이가 가진 사탕을 합하면 9개입니다. 은서가 현승이보다 사탕을 1개 더 많이 가지고 있다면 은서와 현승이가 가진 사탕은 각각 몇 개일까요?

은서: ⬜ 개   현승: ⬜ 개

4 연산 규칙

리뷰

| 두 수 사이의 규칙 찾기 |

1. 들어가는 수와 나오는 수를 짝지어 두 수 사이의 규칙을 찾습니다.

합과 차를 이용하여 규칙을 찾을 수 있습니다.

1. 수가 상자에 들어가면 일정한 규칙에 따라 바뀌어 나옵니다. 규칙을 찾아 빈칸에 알맞은 수를 써넣으세요.

```
   1        3        2        4
   ↓        ↓        ↓        ↓



   ↓        ↓        ↓        ↓
   2        6        4       [ ]
```

2. 구슬에 적힌 수 사이에 일정한 규칙이 있습니다. 빈 구슬에 알맞은 수를 써넣으세요.

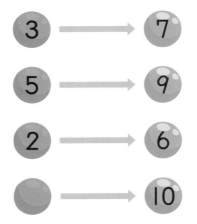

```
3 ──→ 7
5 ──→ 9
2 ──→ 6
( ) ──→ 10
```

연산 규칙 찾기

1. 수를 더하거나 빼는 등의 방법으로 수 사이의 관계를 찾습니다.

위쪽 두 수의 차가
아래쪽 수입니다.

$5 - 1 = 4$ $4 - 3 = 1$ $7 - 3 = 4$ $8 - 6 = 2$

2. 자릿수를 이용하여 수 사이의 관계를 찾습니다.

1. 규칙을 찾아 빈칸에 알맞은 수를 써넣으세요.

2　7　5　　　　3　6　3　　　　2　5　3

4　〇　5　　　　□　8　3

2. 규칙을 찾아 빈칸에 알맞은 수를 써넣으세요.

5 ― 1　　2 ― 2　　1 ― 2　　3 ― 〇
65　　44　　38　　75
1 ― 4　　1 ― 3　　3 ― 5　　〇 ― 2

5 속성

공통점이 있는 것끼리 모으기

1. 단추는 색깔, 모양, 구멍 수의 속성이 있습니다.

단추 속성						
색깔	빨간색	빨간색	초록색	초록색	파란색	파란색
모양	○	△	□	△	□	○
구멍의 수	2개	4개	2개	4개	2개	4개

1. 속성이 다른 단추 하나를 찾아 ✕표 하세요.

2. 주어진 단추와 속성이 한 가지만 같은 단추에 ○표 하세요.

조건에 맞는 속성

1. 조건을 만족하지 않는 것에 ×표 하면서 모든 조건을 만족하는 것을 찾습니다.

바깥쪽 모양은 □ 모양이고, 안쪽 모양은 ○ 모양이 아니면서 파란색인 것을 찾아보세요.

 ➡ ➡

① 바깥쪽 모양이 □ 모양이 아닌 것에 ×표 합니다.

② 안쪽 모양이 ○ 모양인 것에 ×표 합니다.

③ 파란색이 아닌 것에 ×표 합니다.

---

1. 빨간색이면서 ○ 모양인 것은 모두 몇 개일까요?

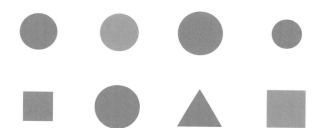

2. 조건에 맞는 구슬을 찾아 ○표 하세요.

> • 짝수입니다.
> • 초록색이 아닙니다.
> • **4**보다 큰 수가 적혀 있습니다.

8   5   6   4   7

1. 사물의 위치를 확실히 알 수 있는 조건부터 찾습니다. 가장 먼저 해결할 조건을 찾는 것이 중요합니다.

2. 한 사물의 위치가 정해지면 위치가 정해진 사물과 나머지 조건을 보고 모든 사물의 위치를 찾습니다.

1. 기수, 연지, 준호, 수현이가 한 줄로 나란히 서 있습니다. 조건을 보고 빈칸에 알맞은 이름을 써넣으세요.

- 준호와 수현이는 양쪽 끝에 서 있지 않습니다.
- 연지는 가장 오른쪽에 서 있습니다.
- 준호 바로 왼쪽에는 기수가 서 있습니다.

2. 주은, 승우, 민성, 재희가 달리기를 했습니다. 다음을 보고 1등을 한 친구는 누구인지 구해 보세요.

- 주은: 나는 승우보다 늦게 들어왔지만 꼴찌는 아니야.
- 민성: 나도 꼴찌는 아니야.
- 승우: 나는 2등으로 들어왔어.

두 줄 위치 정하기

1. 사물의 위치를 확실히 알 수 있는 조건부터 찾습니다.

2. 한 사물의 위치가 정해지면 상하, 좌우 등 모든 방향에 주의하면서 나머지 조건에 맞게 모든 사물의 위치를 찾습니다.

1. 조건에 맞게 빈칸에 1, 2, 3, 4를 써넣으세요.

- 2와 3은 위쪽 칸에 써넣습니다.
- 1은 왼쪽 아래 칸에 써넣습니다.
- 4 바로 위쪽 칸에 2를 써넣습니다.

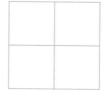

2. 모자, 바지, 양말, 셔츠를 각각 다른 서랍에 넣습니다. 조건에 맞게 빈칸에 알맞은 물건의 이름을 써넣으세요.

- 모자는 파란색 서랍장에 넣습니다.
- 바지는 갈색 서랍장 위쪽에 넣습니다.
- 모자와 양말은 아래쪽에 넣습니다.

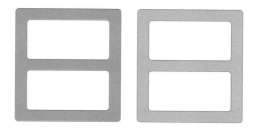

7 색칠하기

| 같은 색으로 색칠하기 |

1. 같은 색을 여러 칸 색칠하는 경우 첫 번째 칸을 색칠하는 방법부터 찾습니다.

2. 첫 번째 칸을 색칠하는 방법을 모두 찾으면 그 다음으로 첫 번째 칸을 제외하고 두 번째 칸을 색칠하는 방법을 찾습니다. 이와 같은 방법으로 색칠할 수 있는 모든 경우를 찾습니다.

다음 **3**칸 중 **2**칸을 색칠하는 방법을 모두 찾으면

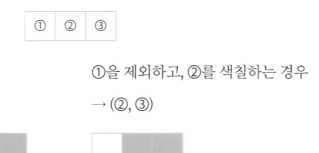

①을 색칠하는 경우

→ (①, ②), (①, ③)

①을 제외하고, ②를 색칠하는 경우

→ (②, ③)

---

1. 다음 **4**칸에 흰 바둑돌 **1**개와 검은 바둑돌 **3**개를 여러 가지 방법으로 놓아 보세요.

흰 바둑돌만 놓으면 나머지 빈칸은 무조건 검은 바둑돌로 채워져.

여러 가지 색으로 색칠하기

1. 여러 가지 색으로 색칠할 때는 같은 색을 한 번만 사용할 수 있는지 여러 번 사용할 수 있는지 구분해야 합니다.

2. 첫 번째 칸에 어떤 하나의 색을 색칠하는 방법부터 찾습니다.

다음 **2**칸을 빨간색 또는 파란색으로 색칠하는 방법을 모두 찾을 때

1) 같은 색깔을 여러 번 사용할 수 있는 경우

　①에 빨간색을 색칠하는 경우 　　　　①에 파란색을 색칠하는 경우

　→ ②에는 빨간색 또는 파란색 　　　　→ ②에는 빨간색 또는 파란색

2) 같은 색깔을 한 번씩만 사용할 수 있는 경우

　①에 빨간색을 색칠하는 경우 　　　　①에 파란색을 색칠하는 경우

　→ ②에는 파란색 　　　　　　　　　　→ ②에는 빨간색

1. 빨간색 페인트 **2**통과 초록색 페인트 **1**통이 있습니다. 깃발 한쪽을 색칠하는 데 페인트 **1**통이 필요하고 색깔을 섞어서 칠할 수 없습니다. 여러 가지 방법으로 깃발을 색칠해 보세요.

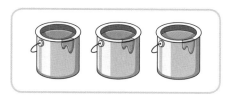 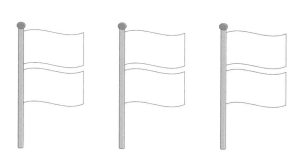

영재
사고력수학
필즈

예비 초등학생을 위한

킨더 하

_ 수와 연산의 활용, 경우의 수와 논리

매쓰러닝

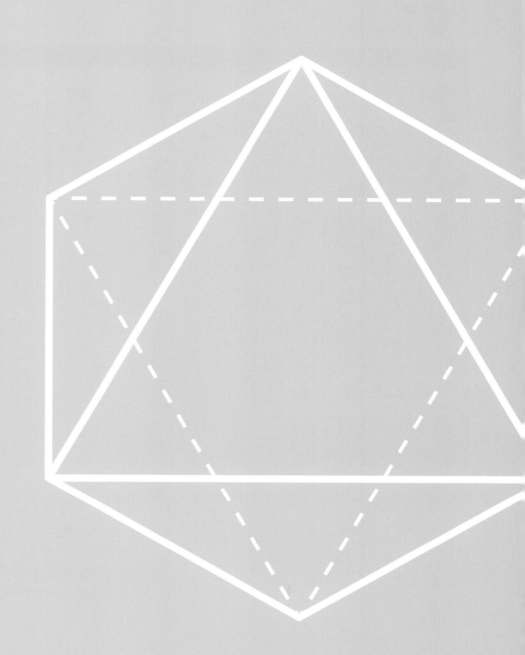

정답 및 해설

덧셈식은 뺄셈식으로, 뺄셈식은 덧셈식으로 나타낼 수 있습니다.

덧셈식은 더하는 수와 더해지는 수를 서로 바꾸어도 결과가 같고, 뺄셈식은 빼는 수와 결과값을 바꾸어도 식이 만들어집니다.

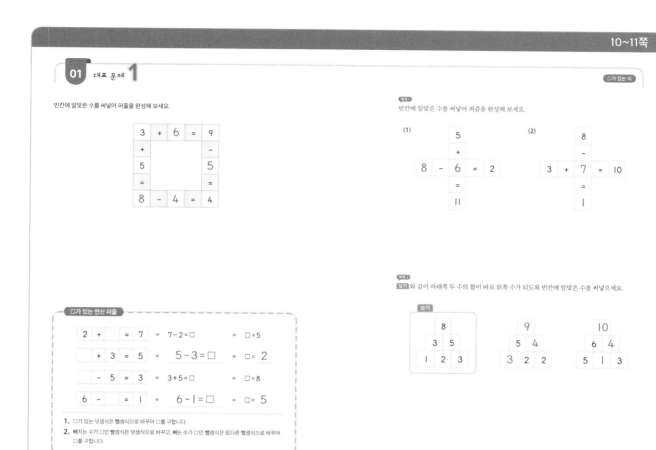

1) $3 + \square = 9$, $9 - 3 = \square$, $\square = 6$
2) $3 + 5 = 8$
3) $8 - \square = 4$, $8 - 4 = \square$, $\square = 4$
4) $9 - \square = 4$, $9 - 4 = \square$, $\square = 5$

3	+	$^{1)}$6	=	9
+				−
5				$^{4)}$5
=				=
$^{2)}$8	−	$^{3)}$4	=	4

예제 1

(1) 세로: $5 + \square = 11$, $11 - 5 = \square$, $\square = 6$
　　가로: $\square - 6 = 2$, $2 + 6 = \square$, $\square = 8$
(2) 가로: $3 + \square = 10$, $10 - 3 = \square$, $\square = 7$
　　세로: $8 - 7 = 1$

예제 2

1) $\square + 2 = 5$, $5 - 2 = \square$, $\square = 3$
2) $2 + 2 = 4$
3) $5 + 4 = 9$

```
      3)9
   5  2)4
1)3  2   2
```

---

1) $5 + \square = 6$, $6 - 5 = \square$, $\square = 1$
2) $1 + 3 = 4$
3) $6 + 4 = 10$

```
      3)10
   6  2)4
5  1)1   3
```

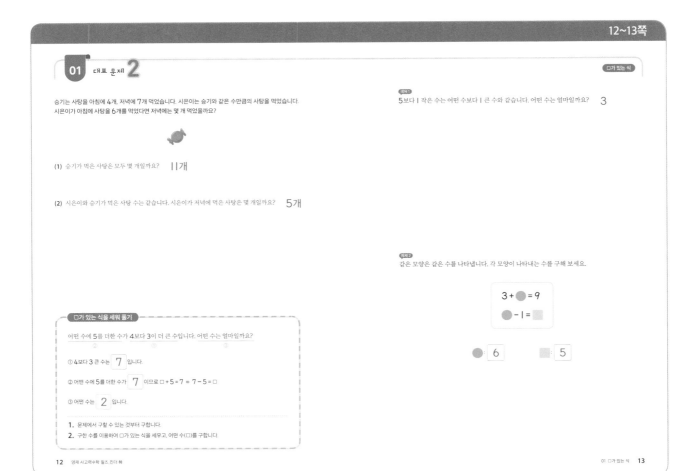

(1) $4 + 7 = 11$(개)

(2) 시은이가 먹은 사탕도 11개입니다.
시은이가 저녁에 먹은 사탕 수: $6 + \square = 11$,
$11 - 6 = \square$, $\square = 5$(개)

예제 1

1) 5보다 1 작은 수: 4
2) $\square + 1 = 4$, $4 - 1 = \square$, $\square = 3$

예제 2

1) $3 + \bullet = 9$, $9 - 3 = \bullet$, $\bullet = 6$
2) $6 - 1 = \blacksquare$, $\blacksquare = 5$

01 확인 문제

1 보기 의 식을 보고 빈칸에 알맞은 수를 써넣으세요.

보기
$$3 + 5 = 8$$

$\boxed{8} - 3 = 5$　　　　$8 - \boxed{5} = 3$

3 풍선 12개가 있었는데 3개가 터졌고, 몇 개가 날아갔습니다. 남은 풍선이 2개라면 날아간 풍선은 몇 개일까요?　7개

2 빈칸에 알맞은 수를 써넣으세요.

4 빈칸에 알맞은 수를 써넣으세요.

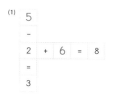　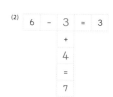

---

1 $3 + 5 = 8$은 $8 - 5 = 3$과 $8 - 3 = 5$로 나타낼 수 있습니다.

2 1) $7 - 2 = 5$
　　2) $1 + \square = 7$, $7 - 1 = \square$, $\square = 6$

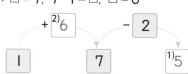

3 1) 터지고 남은 풍선 수: $12 - 3 = 9$(개)
　　2) 날아간 풍선 수: $9 - \square = 2$, $9 - 2 = \square$, $\square = 7$

4 **(1)** 세로: $\square - 2 = 3$, $3 + 2 = \square$, $\square = 5$
　　　가로: $2 + \square = 8$, $8 - 2 = \square$, $\square = 6$
　　(2) 가로: $6 - \square = 3$, $6 - 3 = \square$, $\square = 3$
　　　세로: $3 + \square = 7$, $7 - 3 = \square$, $\square = 4$

5 마주 보는 면에 적힌 수의 합이 **7**인 주사위가 있습니다. 지호가 주사위를 던졌더니 다음과 같이 나왔습니다. 바닥에 닿인 면에 적힌 수는 무엇일까요?　**6**

7 다음에서 설명하는 두 수는 같습니다. ☐ 안에 들어가는 수는 얼마일까요?　**8**

6 보기 와 같이 위쪽 두 수의 차가 바로 아래쪽 수가 되도록 빈칸에 알맞은 수를 써넣으세요.

 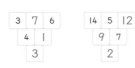

8 빈칸에 알맞은 수를 써넣으세요.

---

5 $1 + ☐ = 7,\ 7 - 1 = ☐,\ ☐ = 6$

6 1) $☐ - 3 = 4,\ 4 + 3 = ☐,\ ☐ = 7$
　2) $7 - 6 = 1$
　3) $4 - 1 = 3$

　1) $☐ - 5 = 7,\ 7 + 5 = ☐,\ ☐ = 12$
　2) $14 - 5 = 9$
　3) $9 - 7 = 2$

7 1) 2에 4를 더한 수: $2 + 4 = 6$
　2) $☐ - 2 = 6\ \ 6 + 2 = ☐,\ ☐ = 8$

8 1) 결과의 일의 자리 숫자 3이 더해지는 수 5보다 작으므로
　　$5 + ☐ = (십몇)$입니다.
　2) $5 + ☐ = 13,\ 13 - 5 = ☐,\ ☐ = 8$

　1) $12 - ☐ = 3,\ 12 - 3 = ☐,\ ☐ = 9$

　1) 결과 9가 빼지는 수의 일의 자리 숫자 5보다 크므로 $(십몇) - ☐ = 9$ 입니다.
　2) $15 - ☐ = 9,\ 15 - 9 = ☐,\ ☐ = 6$

심화 문제 <small>□가 있는 식</small>

1 가로줄과 세로줄에 있는 세 수의 합이 10이 되도록 빈칸에 알맞은 수를 써넣으세요.

2 어떤 수에서 4를 빼야 할 것을 잘못하여 더했더니 13이 되었습니다. 바르게 계산한 결과는 얼마일까요? 5

 경시 기출 유형 <small>□가 있는 식</small>

● 이웃한 두 칸의 두 수를 더하면 모두 6이 되도록 수를 써넣으려고 합니다. 색칠된 칸에 들어가는 수는 얼마일까요? 4

● 사과가 8개 있었습니다. 수호가 사과 몇 개를 먹고, 어머니께서 4개를 더 사오셔서 사과가 모두 10개가 되었습니다. 수호가 먹은 사과는 몇 개인지 물음에 답하세요.

(1) 어머니께서 사과 4개를 사오시기 전에 사과는 몇 개 남았을까요? 6개

(2) 수호가 먹은 사과는 몇 개일까요? 2개

---

1 **1)** 4와 2의 합은 6, 6 + □ = 10, □ = 4
2) 4와 3의 합은 7, 7 + □ = 10, □ = 3
3) 4와 1의 합은 5, 5 + □ = 10, □ = 5
4) 3과 5의 합은 8, 8 + □ = 10, □ = 2

		1)
4	2	4
2) 3		1
3	4) 2	3) 5

2 **1)** 잘못 계산한 식: □ + 4 = 13, 13 - 4 = □, □ = 9
2) 어떤 수는 9이므로 바르게 계산하면 9 - 4 = 5

● **1)** 마지막 두 칸에서 □ + 2 = 6, □ = 4

		4	2

2) 같은 방법으로 뒤에서부터 빈칸에 들어가는 수를 구해 보면 뒤에서부터 2, 4가 반복됩니다.

4	2	4	2

● **(1)** □ + 4 = 10, 10 - 4 = □, □ = 6(개)
(2) 8 - △ = 6, 8 - 6 = △, △ = 2(개)

02 가로세로 수 퍼즐

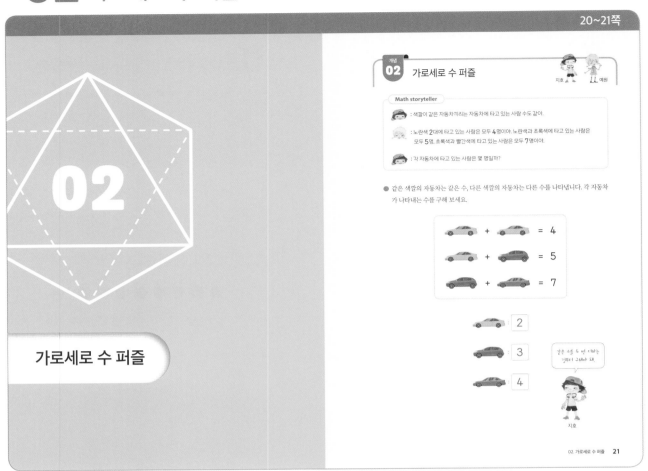

개념 02 가로세로 수 퍼즐

Math storyteller

: 색깔이 같은 자동차끼리는 자동차에 타고 있는 사람 수도 같아.

: 노란색 2대에 타고 있는 사람은 모두 4명이야. 노란색과 초록색에 타고 있는 사람은 모두 5명, 초록색과 빨간색에 타고 있는 사람은 모두 7명이야.

: 각 자동차에 타고 있는 사람은 몇 명일까?

● 같은 색깔의 자동차는 같은 수, 다른 색깔의 자동차는 다른 수를 나타냅니다. 각 자동차가 나타내는 수를 구해 보세요.

02. 가로세로 수 퍼즐 **21**

같은 수를 두 번 더하는 식부터 구합니다.

1) 🚗2 + 🚗2 = 4

2) 🚗2 + 🚗3 = 5

3) 🚗3 + 🚗4 = 7

대표 문제 1

같은 모양은 같은 수, 다른 모양은 다른 수를 나타냅니다. 각 모양이 나타내는 수를 구해 보세요.

★ : 1   ♥ : 5   ◆ : 3

모양이 나타내는 수

■ + ■ = 2   🅐 + 🅐 = 2   🅐 + 🅐 = 2
▲ + ■ = 5   ▲ + 🅐 = 5 ▶ 🅐 + 🅐 = 5
● + ▲ = 6   ● + ▲ = 6   🅐 + ▲ = 6

1. 같은 모양끼리 더하는 식을 찾아 그 모양이 나타내는 수를 구합니다.
   ■ + ■ = 2 ➡ ■ = 1
2. 1에서 구한 모양이 나타내는 수를 이용하여 나머지 모양이 나타내는 수를 구합니다.
   ▲ + ■ = 5 ➡ ▲ + 1 = 5 ➡ ▲ = 4. ● + ▲ = 6 ➡ ● + 4 = 6 ➡ ● = 2

예제 1

같은 모양은 같은 수, 다른 모양은 다른 수를 나타냅니다. ■이 나타내는 수는 얼마일까요?   2

예제 2

같은 모양은 같은 수, 다른 모양은 다른 수를 나타냅니다. 오른쪽과 아래쪽에 적힌 수는 각 줄에 있는 두 수의 합입니다. 각 모양이 나타내는 수를 구해 보세요.

■ : 2   ● : 4   ▲ : 5

1) ◆ + ◆ = 6

2) ◆ + ★ = 4

3) ★ + ♥ = 6

예제 1

▲ = 4, ● = 3, ■ = 2

예제 2

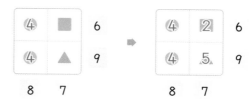

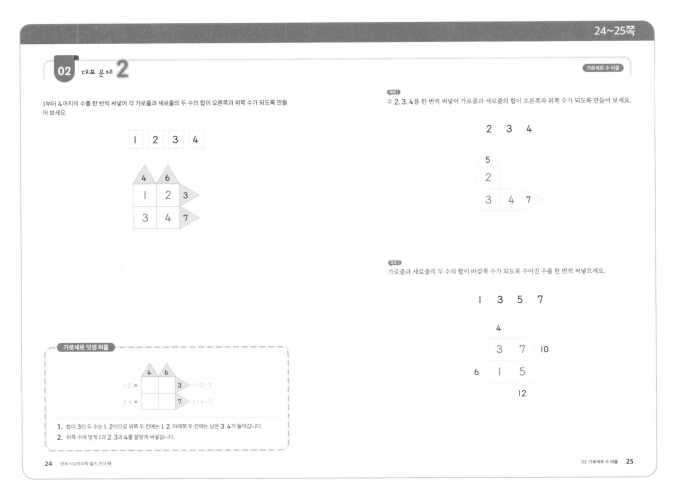

1) 합이 3인 두 수는 l, 2 뿐이므로 l, 2는 위쪽 칸에 들어
   갑니다.
2) 2가 왼쪽 칸에 들어가면 2 + 2 = 4로 같은 수가 2번
   들어가므로 l이 왼쪽, 2는 오른쪽 칸에 들어갑니다.
3) 남은 3, 4를 아래 칸에 알맞게 써넣습니다.
   (l + 3 = 4, 2 + 4 = 6)

예제 1

1) 합이 5인 두 수는 2, 3, 합이 7인 두 수는 3, 4입니다.
2) 공통으로 더해지는 수인 3을 가로줄과 세로줄이 만나
   는 칸에 넣습니다.

예제 2

1) 합이 4인 두 수는 l, 3 뿐이므로 l, 3은 왼쪽 칸에 들어
   갑니다.
2) l이 위쪽 칸에 들어가면 l + 9 = 10으로 사용할 수 없는
   수가 들어가므로 l이 아래쪽, 3은 위쪽 칸에 들어갑니
   다.
3) 남은 5, 7을 오른쪽 칸에 알맞게 써넣습니다.
   (3 + 7 = 10, l + 5 = 6)

02 확인 문제

1 같은 과일은 같은 수, 다른 과일은 다른 수를 나타냅니다. 빈칸에 알맞은 수를 써넣으세요.

● + ● = 2

● + 🍎 = 6

🍎 − ● = $\boxed{4}$

3 같은 모양은 같은 수, 다른 모양은 다른 수를 나타내고, 가로줄 두 수의 합을 오른쪽에, 세로줄 두 수의 합을 아래쪽에 적었습니다. 빈칸에 알맞은 수를 써넣으세요.

2 같은 색깔의 구슬은 같은 수, 다른 색깔의 구슬은 다른 수를 나타냅니다. 각 색깔의 구슬이 나타내는 수를 구해 보세요.

● + ● = 4

○ + ● = 9

○ − ● = 6

○ : $\boxed{1}$ ● : $\boxed{8}$ ● : $\boxed{2}$

4 같은 모양은 같은 수, 다른 모양은 다른 수를 나타냅니다. ● +▲ 는 얼마일까요?

♥ + ● = 4

♥ + ♥ = 6

▲ + ♥ = 7

● + ▲ = $\boxed{5}$

---

1 1) ❶ + ❶ = 2

2) ❶ + ❺ = 6

3) ❺ − ❶ = $\boxed{4}$

2 1) ② + ② = 4

2) ⑧ − ② = 6

3) ❶ + ⑧ = 9

3

5	5	10
▲	●	

7 9

➡

5	5	10
②	④	6

7 9

4 1) ③ + ③ = 6

2) ③ + ❶ = 4

3) 4 + ③ = 7

4) ❶ + 4 = $\boxed{5}$

02 확인 문제

5 같은 모양은 같은 수, 다른 모양은 다른 수를 나타내고, 세로줄 두 수의 합을 아래쪽에 적었습니다. 각 모양이 나타내는 수를 구해 보세요.

10 7 8

■ : [4]   ● : [3]   ♥ : [7]

7 주어진 수를 한 번씩 써넣어 각 가로줄과 세로줄의 두 수의 합이 바깥쪽 수가 되도록 만들어 보세요.

6 주어진 수를 한 번씩 써넣어 각 가로줄과 세로줄의 두 수의 합이 오른쪽과 위쪽 수가 되도록 만들어 보세요.

8 ○ 안에 3, 4, 5, 6을 한 번씩 써넣어 선으로 연결된 두 수의 합이 다음과 같도록 만들어 보세요.

5

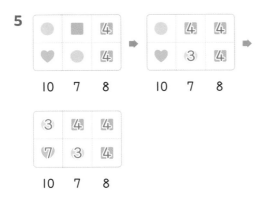

10 7 8   10 7 8

10 7 8

6 1) 합이 5인 두 수는 1, 4 뿐이므로 1, 4는 왼쪽 칸에 들어갑니다.

2) 1이 위쪽 칸에 들어가면 1 + 6 = 7로 사용할 수 없는 수가 들어가므로 1이 아래쪽, 4는 위쪽 칸에 들어갑니다.

3) 남은 3, 8을 오른쪽 칸에 알맞게 써넣습니다. (4 + 3 = 7, 1 + 8 = 9)

7 1) 합이 8인 두 수는 3, 5 뿐이므로 3, 5는 위쪽 가로줄에 들어갑니다.

2) 5가 오른쪽 칸에 들어가면 세로줄을 완성할 수 없으므로 5는 왼쪽, 3은 오른쪽 칸에 들어갑니다.

3) 남은 2, 4를 알맞게 써넣습니다. (3 + 2 = 5, 2 + 4 = 6)

8 1) 합이 7인 두 수는 3, 4 뿐이므로 3, 4는 왼쪽 칸에 들어갑니다.

2) 4 + 6 = 10이므로 4가 위쪽 칸, 3 + 5 = 8이므로 3은 아래쪽 칸에 들어갑니다.

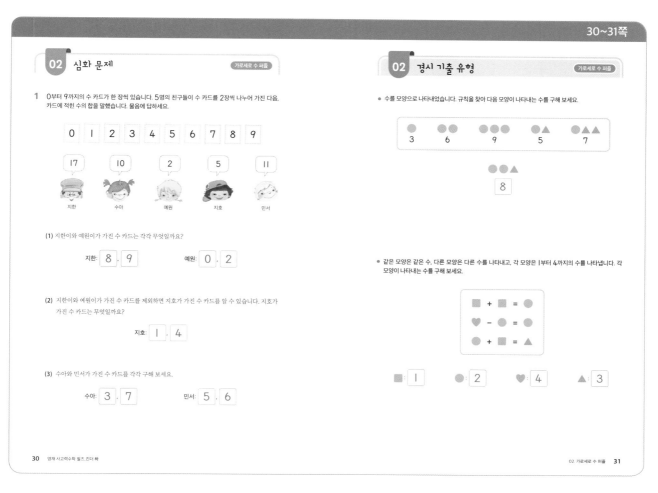

1 **(1)** 합이 17, 2인 경우는 한 가지 밖에 없습니다. 같은 수 카드를 2장 가져갈 수 없으므로 1 + 1 = 2를 만들 수 없습니다.

(2) 0, 2, 8, 9를 뺀 1, 3, 4, 5, 6, 7 중에서 합이 5인 두 수는 1, 4 뿐입니다.

(3) 남은 3, 5, 6, 7로 두 수의 합이 10, 11이 되도록 만듭니다. (3 + 7 = 10, 5 + 6 = 11)

● ●은 3, ▲은 2를 나타냅니다.
  ● : 3
  ●● : 3 + 3 = 6
  ●●● : 3 + 3 + 3 = 9
  ●▲ : 3 + 2 = 5
  ●▲▲ : 3 + 2 + 2 = 7
  ●●▲ : 3 + 3 + 2 = 8

● **1)** ■은 1 또는 2입니다. (1 + 1 = 2 또는 2 + 2 = 4)
  2) ■이 2이면 ▲이 6(4 + 2 = 6)이 되므로 ■ = 1, ● = 2입니다.
  3) 따라서 ▲ = 3, ♥ = 4입니다.

03 주고 받기

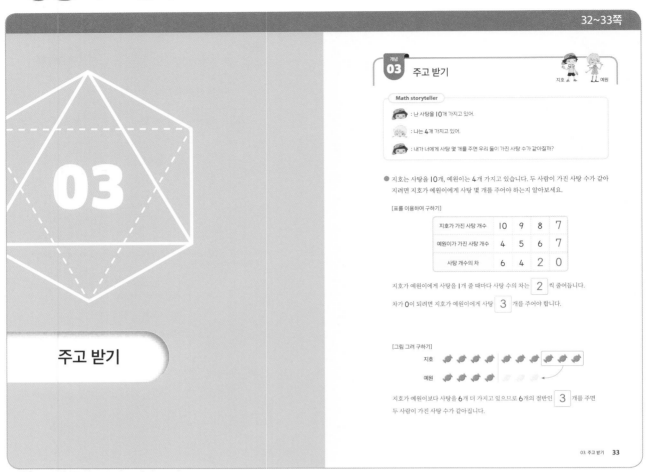

[표를 이용하여 구하기]
사탕을 1개씩 주고 받을 때마다 두 사람의 사탕 수의 차는 2씩 줄어듭니다. 사탕 수의 차가 0이 될 때까지 사탕을 1개씩 주고 받으면 두 사람이 가진 사탕 수가 같아집니다.
[그림 그려 구하기]
더 많이 가진 사탕 수의 절반 만큼을 주면 두 사람이 가진 사탕 수가 같아집니다.

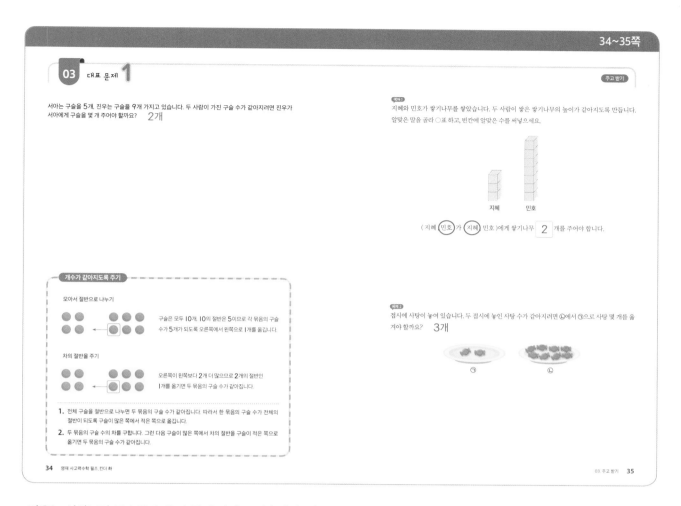

진우는 서아보다 구슬을 4개 더 많이 가지고 있습니다. 따라서 4개의 절반인 2개를 서아에게 주면 두 사람이 가진 구슬 수가 같아집니다.

또는 두 사람이 가진 구슬 수의 합이 14개이므로 각자 7개씩 가지면 두 사람이 가진 구슬 수가 같아집니다. 따라서 진우의 구슬이 7개가 되도록 서아에게 2개를 줍니다.

예제 1

1) 지혜는 3개, 민호는 7개를 쌓아 민호가 지혜보다 쌓기나무 4개를 더 많이 쌓았습니다.
2) 민호가 지혜에게 4개의 절반인 2개를 주면 두 사람이 쌓은 쌓기나무의 높이가 같아집니다.

예제 2

1) ㉠에는 2개, ㉡에는 8개의 사탕이 있습니다.
2) ㉡에는 ㉠보다 사탕이 6개 더 많으므로 6개의 절반인 3개를 옮깁니다.

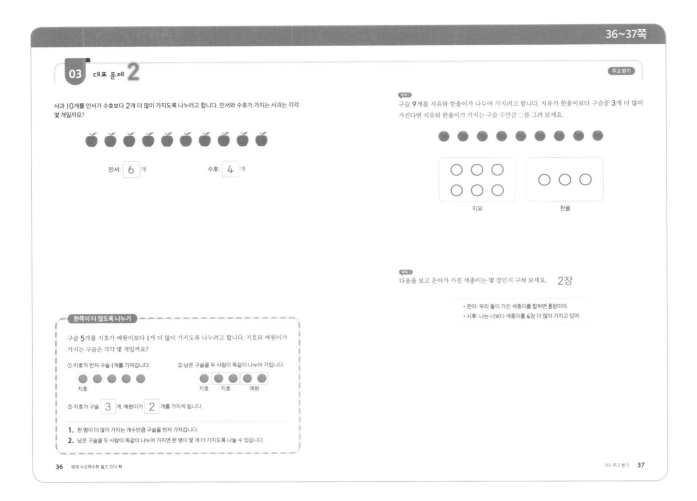

1) 민서가 사과 **2**개를 먼저 가져갑니다.

2) 남은 **8**개를 두 사람이 똑같이 나누어 가집니다.

3) 민서는 사과 **6**개, 수호는 **4**개를 가지게 됩니다.

민서　　　　　민서　　　　　　수호

예제 1

1) 지유가 구슬 **3**개를 먼저 가져갑니다.

2) 남은 **6**개를 두 사람이 똑같이 나누어 가집니다.

3) 지유는 구슬 **6**개, 한울이는 **3**개 가지게 됩니다.

지유　　　　　지유　　　　　한울

예제 2

1) 색종이 **8**장 중에서 시후가 **4**장을 먼저 가져갑니다.

2) 남은 **4**장을 두 사람이 똑같이 나누어 가집니다.

3) 시후는 색종이 **6**장, 은아는 **2**장을 가지게 됩니다.

시후　　　　　시후　　　　　은아

03 확인 문제

주고 받기

1 지호는 구슬 4개, 민서는 구슬 8개를 가지고 있습니다. 민서가 지호에게 구슬 4개를 주면 두 사람이 가진 구슬은 각각 몇 개가 될까요?

지호: 8 개   민서: 4 개

2 바나나 12개가 있습니다. 유나와 지민이가 바나나를 똑같이 나누어 가지려고 합니다. 유나와 지민이가 가지는 바나나는 각각 몇 개일까요?

유나: 6 개   지민: 6 개

3 정후는 과자 10개, 정민이는 과자 2개를 가지고 있습니다. 두 사람이 가진 과자 수가 같아지려면 정후가 정민이에게 과자 몇 개를 주어야 할까요?   4개

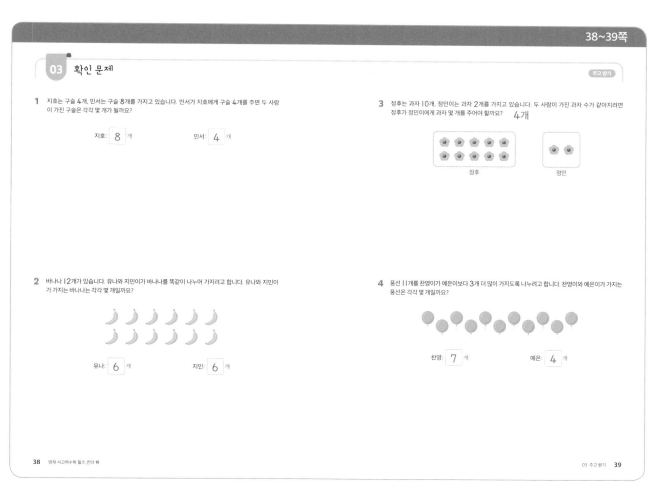

정후   정민

4 풍선 11개를 찬영이가 예은이보다 3개 더 많이 가지도록 나누려고 합니다. 찬영이와 예은이가 가지는 풍선은 각각 몇 개일까요?

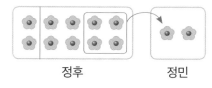

찬영: 7 개   예은: 4 개

1 지호는 4개 받아서 8개가 되었고, 민서는 4개 주어서 4개가 되었습니다.

2 바나나 12개를 똑같이 둘로 나누면 한 사람은 6개씩 가집니다.

3 1) 정후는 정민이보다 8개 더 많이 가지고 있습니다.
2) 정후가 정민이에게 8개의 절반인 4개를 주면 두 사람이 가진 과자 수가 같아집니다.

정후   정민

4 1) 찬영이가 풍선 3개를 먼저 가져갑니다.
2) 남은 8개를 두 사람이 똑같이 나누어 가집니다.
3) 찬영이는 풍선 7개, 예은이는 4개를 가지게 됩니다.

찬영   찬영   예은

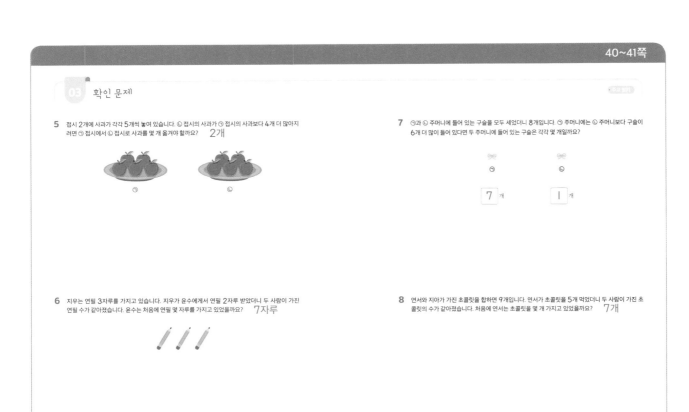

5 접시 2개에 사과가 각각 5개씩 놓여 있습니다. ⓒ 접시의 사과가 ⓐ 접시의 사과보다 4개 더 많아지려면 ⓐ 접시에서 ⓒ 접시로 사과를 몇 개 옮겨야 할까요? **2개**

6 지우는 연필 3자루를 가지고 있습니다. 지우가 윤수에게서 연필 2자루 받았더니 두 사람이 가진 연필 수가 같아졌습니다. 윤수는 처음에 연필 몇 자루를 가지고 있었을까요? **7자루**

7 ⓐ과 ⓒ 주머니에 들어 있는 구슬을 모두 세었더니 8개입니다. ⓐ 주머니에는 ⓒ 주머니보다 구슬이 6개 더 많이 들어 있다면 두 주머니에 들어 있는 구슬은 각각 몇 개일까요?

ⓐ **7**개   ⓒ **1**개

8 연서와 지아가 가진 초콜릿을 합하면 9개입니다. 연서가 초콜릿을 5개 먹었더니 두 사람이 가진 초콜릿의 수가 같아졌습니다. 처음에 연서는 초콜릿을 몇 개 가지고 있었을까요? **7개**

5

6 1) 지우가 윤수에게 연필 2자루를 받으면 두 사람은 모두 연필을 5자루씩 가지게 됩니다.

2) 윤수는 연필 2자루를 주어 5자루가 되었으므로 처음에 7자루를 가지고 있었습니다.

3) 또는 처음에 두 사람이 가진 연필 수의 차의 절반이 2자루이므로 윤수는 지우보다 4자루 많은 7자루를 가지고 있었습니다.

지우

윤수

7 1) 구슬 8개 중에서 ⓐ에 6개를 먼저 넣습니다.

2) 남은 2개를 두 주머니에 똑같이 나누어 넣습니다.

3) ⓐ에는 7개, ⓒ에는 1개 들어가게 됩니다.

ⓐ   ⓐ   ⓒ

8 1) 연서가 초콜릿 5개를 먹으면 두 사람에게 남은 초콜릿은 모두 4개가 됩니다.

2) 초콜릿이 모두 4개일 때 두 사람이 가진 초콜릿 수가 같으므로 연서와 지아에게 초콜릿이 2개씩 남았습니다.

3) 따라서 연서가 5개를 먹기 전 처음에 7개를 가지고 있었습니다.

연서   연서   지아

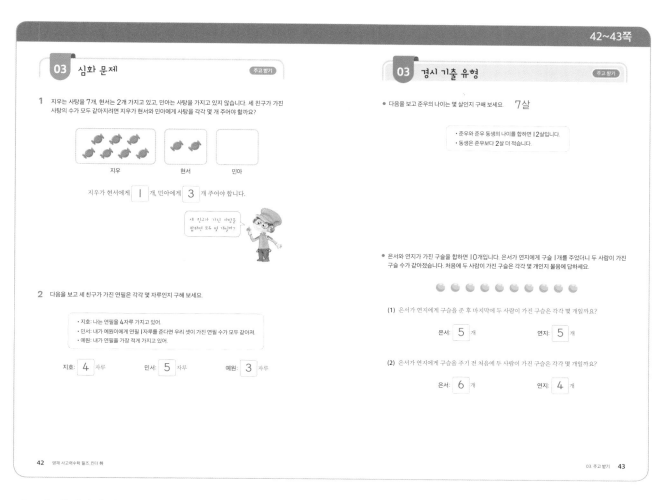

03 심화 문제　주고받기

1 지우는 사탕을 7개, 현서는 2개 가지고 있고, 민아는 사탕을 가지고 있지 않습니다. 세 친구가 가진 사탕의 수가 모두 같아지려면 지우가 현서와 민아에게 사탕을 각각 몇 개 주어야 할까요?

지우 / 현서 / 민아

지우가 현서에게 **1** 개, 민아에게 **3** 개 주어야 합니다.

2 다음을 보고 세 친구가 가진 연필은 각각 몇 자루인지 구해 보세요.

- 지호: 나는 연필을 4자루 가지고 있어.
- 민서: 내가 예원이에게 연필 1자루 준다면 우리 셋이 가진 연필 수가 모두 같아져.
- 예원: 내가 연필을 가장 적게 가지고 있어.

지호: **4** 자루　민서: **5** 자루　예원: **3** 자루

03 경시 기출 유형　주고받기

● 다음을 보고 준우의 나이를 몇 살인지 구해 보세요.　**7살**

- 준우와 준우 동생의 나이를 합하면 12살입니다.
- 동생은 준우보다 2살 더 적습니다.

● 은서와 연지가 가진 구슬을 합하면 10개입니다. 은서가 연지에게 구슬 1개를 주었더니 두 사람이 가진 구슬 수가 같아졌습니다. 처음에 두 사람이 가진 구슬은 각각 몇 개인지 물음에 답하세요.

(1) 은서가 연지에게 구슬을 준 후 마지막에 두 사람이 가진 구슬은 각각 몇 개일까요?

은서 **5** 개　연지 **5** 개

(2) 은서가 연지에게 구슬을 주기 전 처음에 두 사람이 가진 구슬은 각각 몇 개일까요?

은서 **6** 개　연지 **4** 개

---

1 **1)** 세 사람이 가진 사탕은 모두 9개입니다.

　2) 9개를 똑같이 셋으로 나누어 한 사람이 3개씩 가지면 사탕 수가 같아집니다.

　3) 따라서 지우는 현서에게 사탕 1개, 민아에게 3개 주어야 합니다.

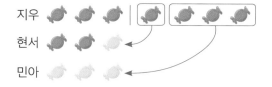

2 **1)** 지호는 연필 4자루를 가지고 있습니다.

　2) 민서가 예원이에게 1자루 준다면 세 사람 모두 4자루씩 가지게 되므로 민서는 5자루, 예원이는 3자루 가지고 있습니다.

● **1)** 준우는 동생보다 2살 더 많습니다.

　2)

준우　준우　동생

　3) 준우는 7살, 동생은 5살입니다.

● **(1)** 10개를 똑같이 둘로 나누면 5개씩 가지게 됩니다.

　(2) 은서는 1개 주어 5개가 되었으므로 처음에 6개를 가지고 있었고, 연지는 1개 받아서 5개가 되었으므로 처음에 4개를 가지고 있었습니다.

마지막

처음

은서　연지

04 연산 규칙

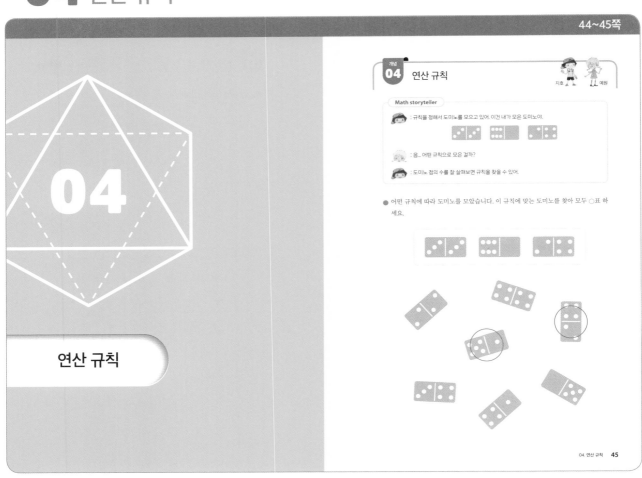

개념 04 연산 규칙

지호 예원

Math storyteller

: 규칙을 정해서 도미노를 모으고 있어. 이건 내가 모은 도미노야.

: 음... 어떤 규칙으로 모은 걸까?

: 도미노 점의 수를 잘 살펴보면 규칙을 찾을 수 있어.

● 어떤 규칙에 따라 도미노를 모았습니다. 이 규칙에 맞는 도미노를 찾아 모두 ○표 하세요.

04. 연산 규칙 **45**

양쪽 점의 수의 합이 **6**개인 도미노를 찾습니다.

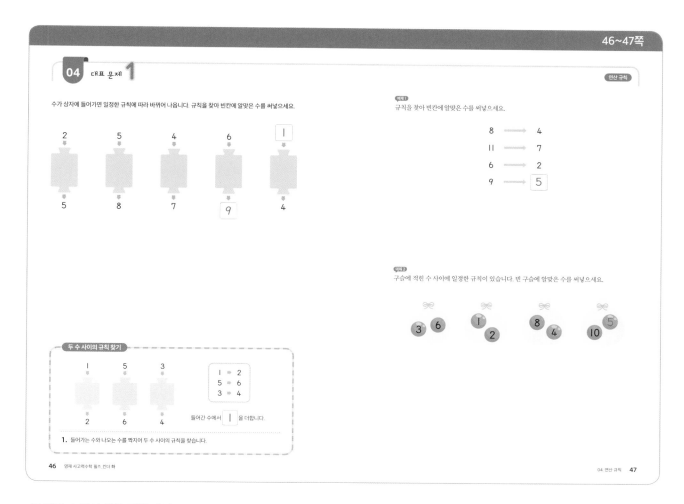

들어간 수에서 **3**을 더합니다.

예제 1

왼쪽 수에서 **4**를 뺍니다.

예제 2

주황색 구슬에 적힌 수는 초록색 구슬에 적힌 수의 반입니다.(주황색 구슬에 적힌 수를 두 번 더하면 초록색 구슬에 적힌 수입니다.)

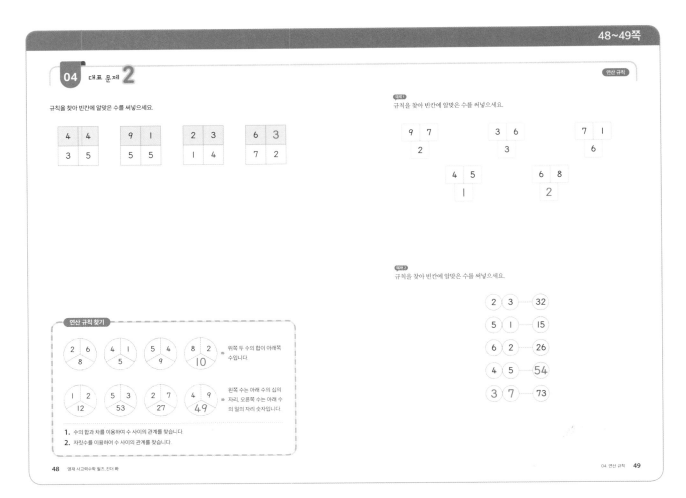

색칠된 칸에 적힌 두 수의 합과 색칠되지 않은 칸에 적힌 두 수의 합이 같습니다.

$4 + 4 = 3 + 5 = 8$

$9 + 1 = 5 + 5 = 10$

$2 + 3 = 1 + 4 = 5$

$6 + \square = 7 + 2 = 9 \rightarrow \square = 3$

예제 1

위쪽 두 수의 차는 아래쪽 수입니다.

예제 2

왼쪽 수는 오른쪽 두 자리 수의 일의 자리 숫자, 가운데 수는 오른쪽 두 자리 수의 십의 자리 숫자를 나타냅니다.

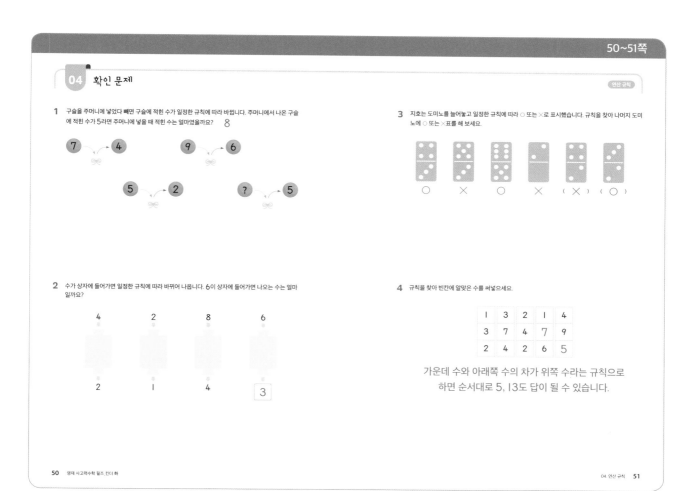

04 확인 문제

연산 규칙

1 구슬을 주머니에 넣었다 빼면 구슬에 적힌 수가 일정한 규칙에 따라 바뀝니다. 주머니에서 나온 구슬에 적힌 수가 5라면 주머니에 넣을 때 적힌 수는 얼마였을까요?   8

7 → 4   9 → 6

5 → 2   ? → 5

2 수가 상자에 들어가면 일정한 규칙에 따라 바뀌어 나옵니다. 6이 상자에 들어가면 나오는 수는 얼마일까요?

4   2   8   6

2   1   4   3

3 지호는 도미노를 늘어놓고 일정한 규칙에 따라 ○ 또는 ×로 표시했습니다. 규칙을 찾아 나머지 도미노에 ○ 또는 ×표를 해 보세요.

○   ×   ○   ×   (×)   (○)

4 규칙을 찾아 빈칸에 알맞은 수를 써넣으세요.

1	3	2	1	4
3	7	4	7	9
2	4	2	6	5

가운데 수와 아래쪽 수의 차가 위쪽 수라는 규칙으로 하면 순서대로 5, 13도 답이 될 수 있습니다.

---

1 들어간 수에서 3을 뺍니다.

2 들어간 수의 절반이 나옵니다.

3 위와 아래 양쪽 점의 수의 차가 1이면 ○, 2이면 ×표 합니다.

4 - 3 = 1 (○)
5 - 3 = 2 (×)
6 - 5 = 1 (○)
2 - 0 = 2 (×)
4 - 2 = 2 (×)
3 - 2 = 1 (○)

4 위쪽 칸의 수와 아래쪽 칸의 수를 더하면 가운데 칸의 수가 됩니다.

확인 문제

5 화살표의 색깔에 따라 어떤 규칙으로 수가 바뀝니다. 수가 바뀌는 규칙을 찾아 빈칸에 알맞은 수를 써넣으세요.

3 ⟶ $\boxed{7}$ 5 ⟶ $\boxed{6}$

7 규칙을 찾아 가운데 빈 곳에 알맞은 두 자리 수를 써넣으세요.

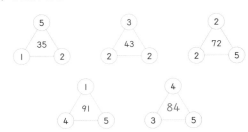

6 규칙을 찾아 빈칸에 알맞은 수를 써넣으세요.

2	4
3	1

5	6
4	3

7	9
4	2

8	5
1	4

8 규칙을 찾아 빈칸에 알맞은 수를 써넣으세요.

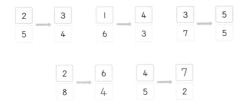

---

5 주황색 화살표: 왼쪽 수에서 **2**를 더합니다.
연두색 화살표: 왼쪽 수에서 **1**을 뺍니다.

3 ⟶ 5 ⟶ $\boxed{7}$ 5 ⟶ 4 ⟶ $\boxed{6}$

6 색칠된 칸에 적힌 두 수의 차와 색칠되지 않은 칸에 적힌 두 수의 차가 같습니다.

$2-1=4-3=1$

$5-3=6-4=2$

$7-2=9-4=5$

$8-4=\square-1=4 \rightarrow \square=5$

또는 왼쪽 두 수의 합과 오른쪽 두 수의 합이 같습니다.

7 아래쪽 두 수의 합은 가운데 수의 십의 자리 숫자, 위쪽 수는 가운데 수의 일의 자리 숫자입니다.

8 왼쪽 두 수의 합과 오른쪽 두 수의 합이 같습니다.

24   영재 사고력수학 필즈_킨더 하

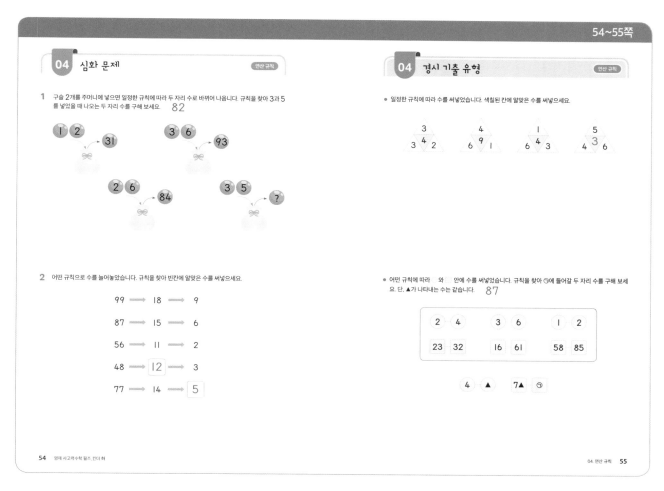

1 들어간 두 수의 합은 나온 수의 십의 자리 숫자, 들어간 두 수의 차는 나온 수의 일의 자리 숫자입니다.

2 1) 가장 왼쪽의 두 숫자를 더한 수가 가운데 수입니다.
　　2) 가운데 두 숫자를 더한 수가 오른쪽 수입니다.

$$9+9 \rightarrow 9+9=18 \rightarrow 1+8=9$$
$$8+7 \rightarrow 8+7=15 \rightarrow 1+5=6$$
$$5+6 \rightarrow 5+6=11 \rightarrow 1+1=2$$
$$4+8 \rightarrow 4+8=12 \rightarrow 1+2=3$$
$$7+7 \rightarrow 7+7=14 \rightarrow 1+4=5$$

● 위쪽 수와 왼쪽 수를 더한 다음, 오른쪽 수를 **빼면** 가운데 수입니다.
$$3+3-2=4$$
$$4+6-1=9$$
$$1+6-3=4$$
$$5+4-6=3$$

● 1) ⬭ 은 왼쪽 수를 두 번 더하면 오른쪽 수입니다.
　　2) ⬭ 은 십의 자리 숫자와 일의 자리 숫자를 바꿉니다.

4 ─⬭─ 8　　7 8 ─⬭─ 8 7

정답 및 해설　**25**

05 속성

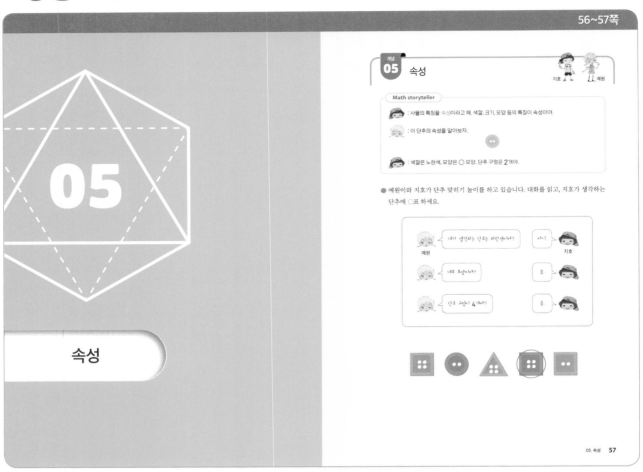

1) 파란색이 아닙니다.

2) 네모 모양입니다.

3) 단추 구멍이 4개입니다.

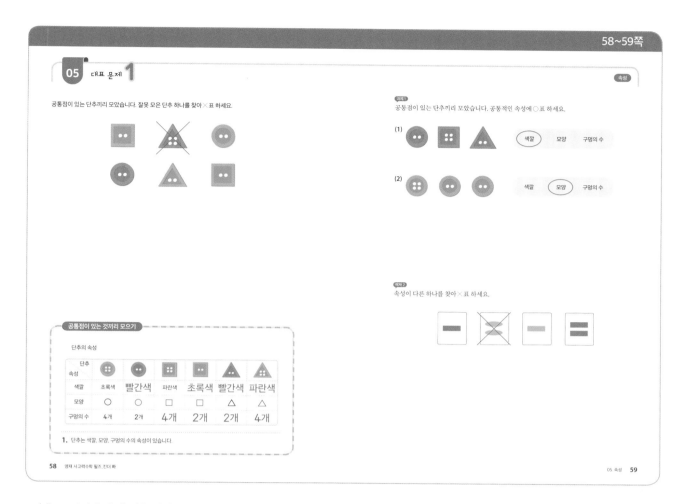

단추 구멍이 **2**개인 단추끼리 모았습니다.

예제 2

나머지 카드에는 모두 네모 모양이 그려져 있는데 다른 한
카드에는 둥근 모양이 그려져 있습니다.

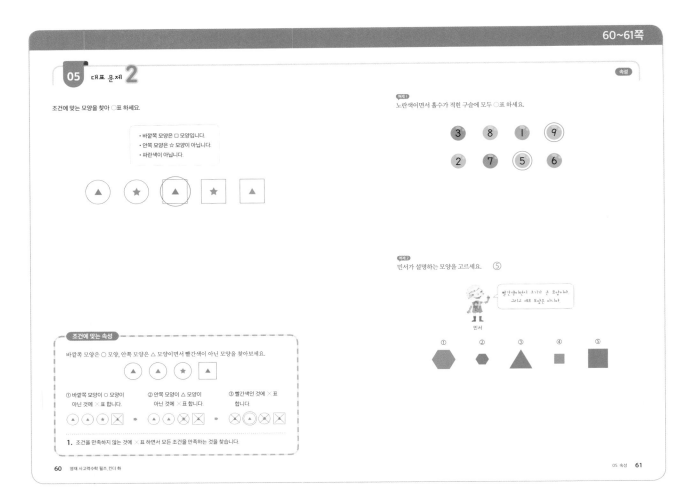

1) 바깥쪽 모양은 네모 모양입니다.

2) 안쪽 모양은 ☆ 모양이 아닙니다.

3) 파란색이 아닙니다.

예제 2

1) 빨간색입니다.

2) 큰 모양입니다.

3) 세모 모양이 아닙니다.

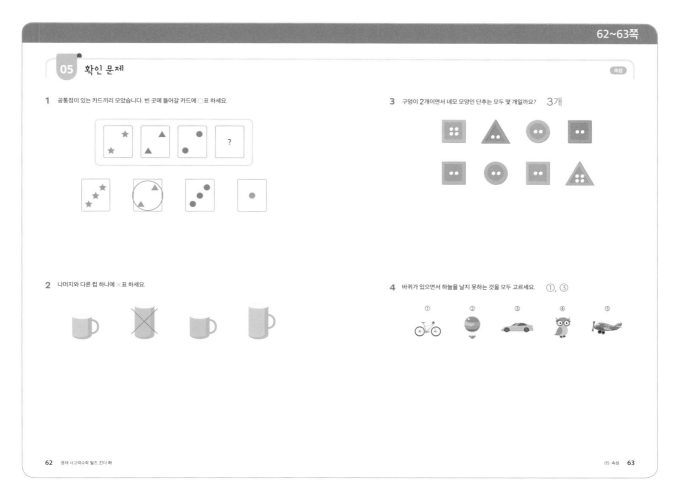

1 모양의 수가 **2**개인 카드를 모았습니다.

2 나머지 컵은 모두 손잡이가 있는데 다른 한 컵은 손잡이가 없습니다.

3 구멍이 **2**개가 아닌 단추에 모두 ✕표 한 다음, 나머지 단추 중에서 네모 모양인 것을 찾습니다.

4 바퀴가 있는 것: ①, ③, ⑤
    ↓
하늘을 날지 못하는 것: ①, ③

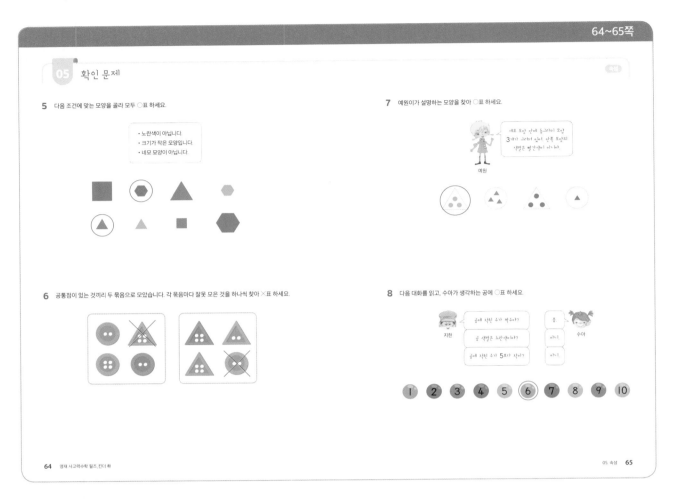

5 1) 노란색이 아닙니다.

2) 작은 모양입니다.

3) 네모 모양이 아닙니다.

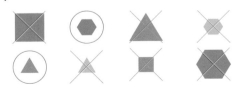

6 모양이 동그라미 모양인 단추와 세모 모양인 단추끼리 모았습니다.

7 1) 세모 모양 안에 동그라미 모양이 있습니다.

2) 안쪽 모양의 색깔은 빨간색이 아닙니다.

8 1) 짝수입니다.

2) 노란색이 아닙니다.

3) 5보다 작은 수가 아닙니다.

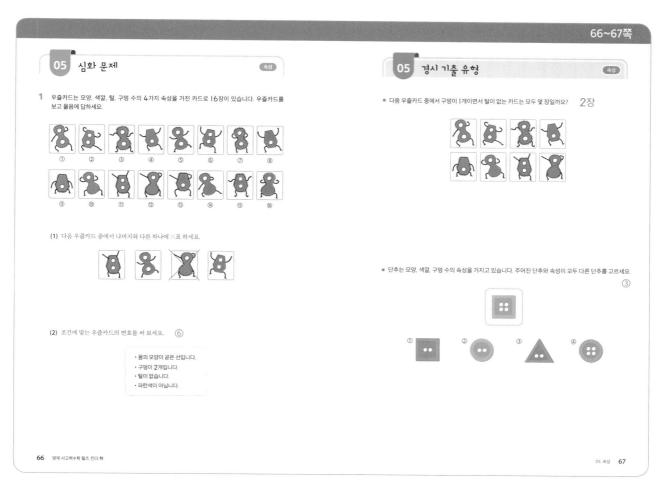

1 (1) 나머지는 모두 구멍이 2개인 우즐카드이고, 다른
하나는 구멍이 1개입니다.

(2) 파란색이 아닙니다. → 빨간색 카드에서 찾습니다.
몸의 모양이 곧은 선입니다. → 몸이 굽은 선인 카드
에 ×표 합니다.
구멍이 2개입니다. → 구멍이 1개인 카드에 ×표
합니다.
털이 없습니다. → 털이 있는 카드에 ×표 합니다.

●

● ⊞ : 모양이 같습니다.

　ⓞ : 색깔이 같습니다.

　△ : 속성이 모두 다릅니다.

　⊙ : 구멍 수가 같습니다.

06 위치와 순서

위치와 순서

확실한 위치를 알 수 있는 조건부터 찾습니다.

1) 지한: 지한이는 키가 가장 작습니다.

2) 지호, 예원: 지호는 예원이보다 작습니다.

3) 지호, 예원: 수아는 키가 가장 큽니다.

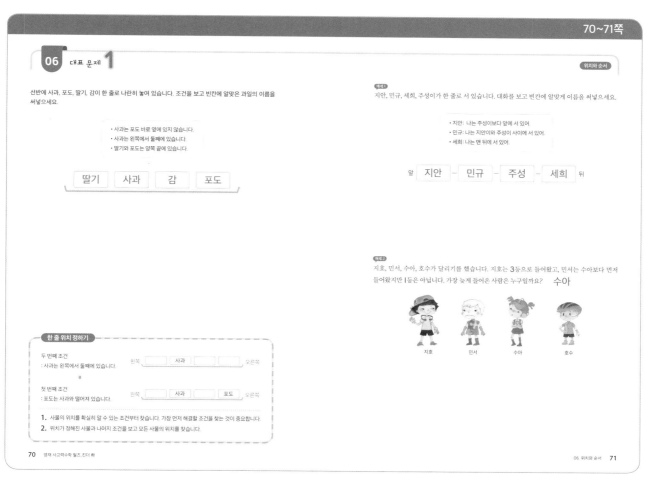

1) 조건2: 사과는 왼쪽에서 둘째에 있습니다.

| | 사과 | | |

2) 조건1: 사과와 포도는 떨어져 있습니다.

| | 사과 | | 포도 |

3) 조건3: 딸기는 한쪽 끝에 있습니다.

| 딸기 | 사과 | 감 | 포도 |

예제 1

1) 세희: 세희는 맨 뒤에 서 있습니다.

앞 [   ] — [   ] — [   ] — 세희 뒤

2) 민규: 민규는 남은 세 자리 중 가운데(앞에서 둘째)에 서 있습니다.

앞 [   ] — 민규 — [   ] — 세희 뒤

3) 지안: 지안이는 주성이보다 앞에 서 있습니다.

앞 지안 — 민규 — 주성 — 세희 뒤

예제 2

1) 지호는 3등입니다.

2) 민서와 수아 모두 1등이 아니므로 호수가 1등입니다.

3) 민서가 수아보다 먼저 들어왔으므로 1등부터 차례로 호수, 민서, 지호, 수아입니다.

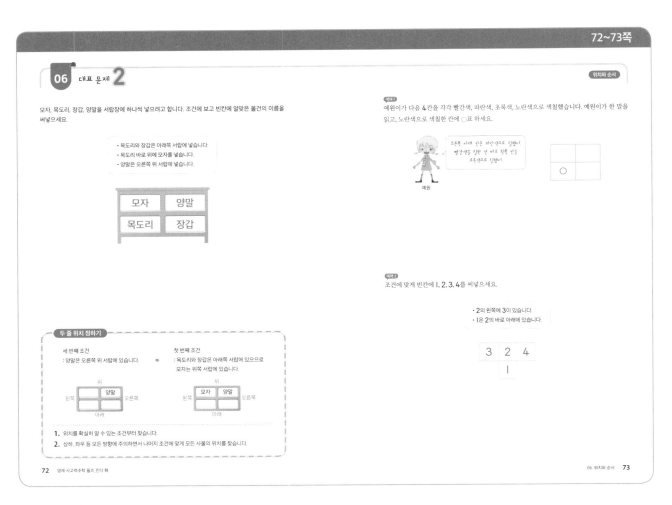

---

1) 조건3: 양말은 오른쪽 위 서랍 에 넣습니다.

2) 조건1: 모자는 위쪽 서랍에 넣습니다.

3) 조건2: 목도리는 모자 바로 아래에 넣습니다.

예제 1

1) 오른쪽 아래 칸은 파란색입니다.

2) 빨간색 바로 왼쪽이 초록색이므로 두 색깔은 위쪽 칸에 있습니다.

3) 남은 칸이 노란색입니다.

예제 2

1) 조건2: 2 바로 아래 1이 있습니다.

2) 조건1: 2의 왼쪽에 3이 있습니다. 따라서 남은 칸에 4를 넣습니다.

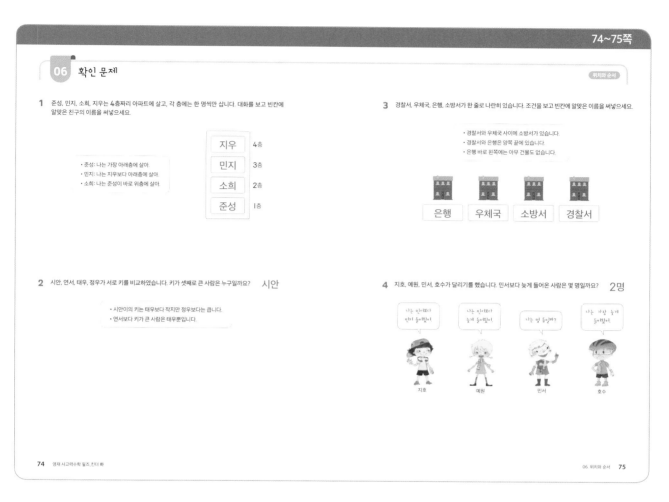

1
1) 준성: 준성이는 1층에 삽니다.
2) 소희: 소희는 준성이 바로 위 층(2층)에 삽니다.
3) 민지: 민지는 지우보다 아래 층에 삽니다.
　　　 따라서 민지는 3층, 지우는 4층에 삽니다.

2
1) 조건2: 태우는 키가 가장 크고, 연서는 둘째로 큽니다.
2) 조건1: 시안이가 정우보다 크므로 시안이는 셋째로 크고, 정우의 키가 가장 작습니다.

3
1) 조건3: 은행은 가장 왼쪽에 있습니다.

| 은행 | | | |

2) 조건2: 경찰서는 오른쪽 끝에 있습니다.

| 은행 | | | 경찰서 |

3) 조건1: 경찰서와 우체국 사이에 소방서가 있습니다.

| 은행 | 우체국 | 소방서 | 경찰서 |

4
1) 호수: 호수는 4등입니다.
2) 지호, 예원: 지호는 민서보다 먼저, 예원이는 민서보다 늦게 들어왔으므로 지호는 1등, 민서는 2등, 예원이는 3등입니다.

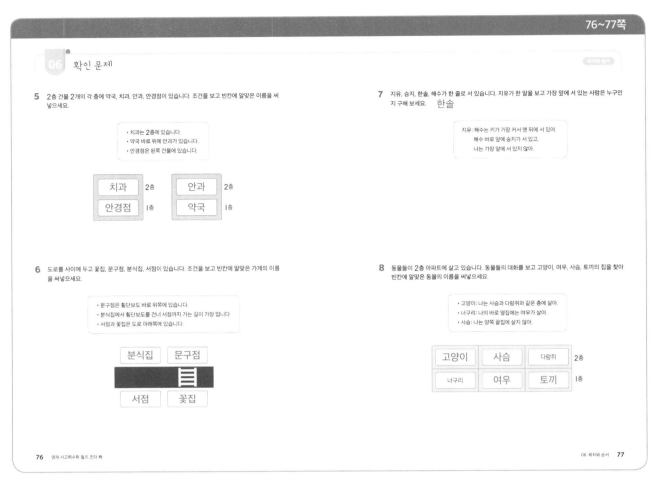

---

5 1) 조건2: 약국과 안과는 같은 건물에 있습니다. 따라서 치과와 안경점이 같은 건물에 있습니다.

2) 조건1, 3: 안경점은 왼쪽 건물 1층, 치과는 2층에 있습니다.

6 1) 조건1: 문구점은 횡단보도 바로 위쪽에 있습니다.

2) 조건 2, 3: 분식집은 도로 위쪽에 있습니다.

3) 조건2: 서점은 횡단보도에서 떨어져 있습니다.

7 1) 해수가 가장 뒤에 서 있습니다.

2) 해수 바로 앞에 승지가 서 있으므로 승지는 앞에서 셋째에 서 있습니다.

3) 지유가 가장 앞에 서 있지 않으므로 가장 앞에 서 있는 사람은 한솔입니다.

8 1) 너구리: 너구리 바로 옆에는 여우가 삽니다.

		다람쥐
너구리	여우	

2) 사슴: 사슴은 2층 가운데 집에 삽니다.

	사슴	다람쥐
너구리	여우	

3) 고양이: 고양이는 2층 왼쪽 집에 삽니다.

고양이	사슴	다람쥐
너구리	여우	토끼

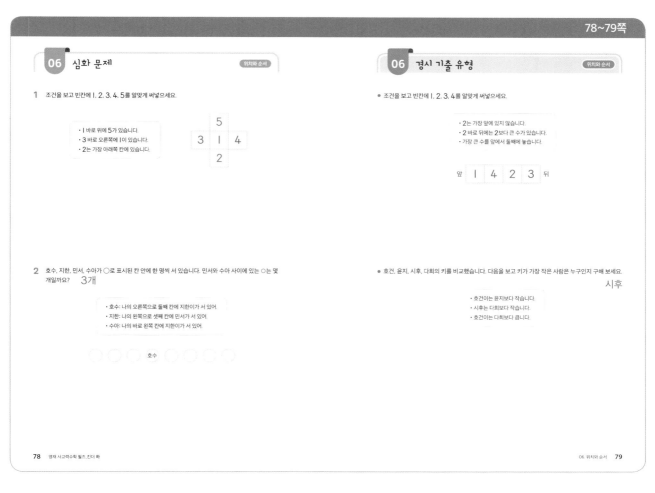

06 심화 문제 · 위치와 순서

1 조건을 보고 빈칸에 I, 2, 3, 4, 5를 알맞게 써넣으세요.

- I 바로 위에 5가 있습니다.
- 3 바로 오른쪽에 I이 있습니다.
- 2는 가장 아래쪽 칸에 있습니다.

```
    5
3   I   4
    2
```

2 호수, 지한, 민서, 수아가 ◯로 표시된 칸 안에 한 명씩 서 있습니다. 민서와 수아 사이에 있는 ◯는 몇 개일까요? **3개**

- 호수: 나의 오른쪽으로 둘째 칸에 지한이가 서 있어.
- 지한: 나의 왼쪽으로 셋째 칸에 민서가 서 있어.
- 수아: 나의 바로 왼쪽 칸에 지한이가 서 있어.

06 경시 기출 유형 · 위치와 순서

● 조건을 보고 빈칸에 I, 2, 3, 4를 알맞게 써넣으세요.

- 2는 가장 앞에 있지 않습니다.
- 2 바로 뒤에는 2보다 큰 수가 있습니다.
- 가장 큰 수를 앞에서 둘째에 놓습니다.

앞 I   4   2   3 뒤

● 호건, 윤지, 시후, 다희의 키를 비교했습니다. 다음을 보고 키가 가장 작은 사람은 누구인지 구해 보세요.

시후

- 호건이는 윤지보다 작습니다.
- 시후는 다희보다 작습니다.
- 호건이는 다희보다 큽니다.

---

1 1) 조건3: 2는 가장 아래쪽 칸에 있습니다.
  2) 조건I: I 바로 위에 5가 있으므로 I, 5는 세로줄 칸에 들어갑니다.
  3) 조건2: 3 바로 오른쪽에 I이 있으므로 3은 I의 왼쪽 칸에 들어갑니다.

```
  5              5                5
  I    ➡     3   I       ➡    3   I   4
  2              2                2
```

2 1) 호수: 호수의 오른쪽으로 둘째 칸에 지한이가 있습니다.

◯ ◯ ◯ 호수 ◯ 지한 ◯ ◯

  2) 지한: 지한이의 왼쪽으로 셋째 칸에 민서가 있습니다.

◯ ◯ 민서 호수 ◯ 지한 ◯ ◯

  3) 수아: 수아 바로 왼쪽 칸에 지한이가 있습니다.

◯ ◯ 민서 호수 ◯ 지한 수아 ◯

● 1) 조건3: 4를 앞에서 둘째에 놓습니다.
  2) 조건I, 2: 2는 앞에서 셋째에 있고, 2 바로 뒤에 3이 있습니다.
  3) 가장 앞에 있는 수는 I입니다.

● 1) 조건I, 3: 윤지-호건-다희
  2) 조건2: 윤지-호건-다희-시후

07 색칠하기

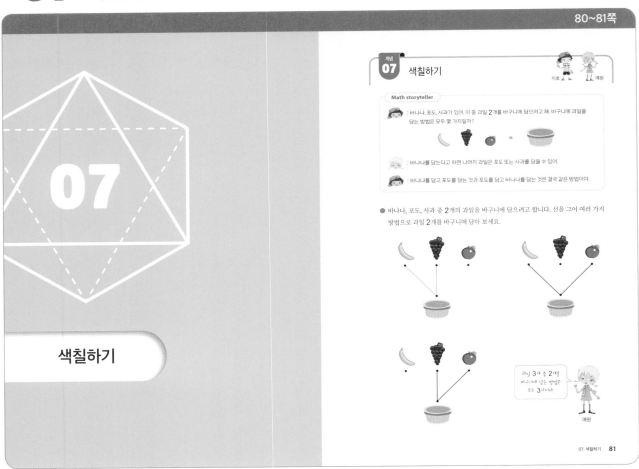

1) 바나나를 담는다면 나머지는 포도 또는 사과를 담을 수 있습니다. → (바나나, 포도), (바나나, 사과)

2) 바나나를 담는 경우는 이미 찾았으므로 바나나를 제외하고 포도를 담는다면 나머지는 사과를 담을 수 있습니다. → (포도, 사과)

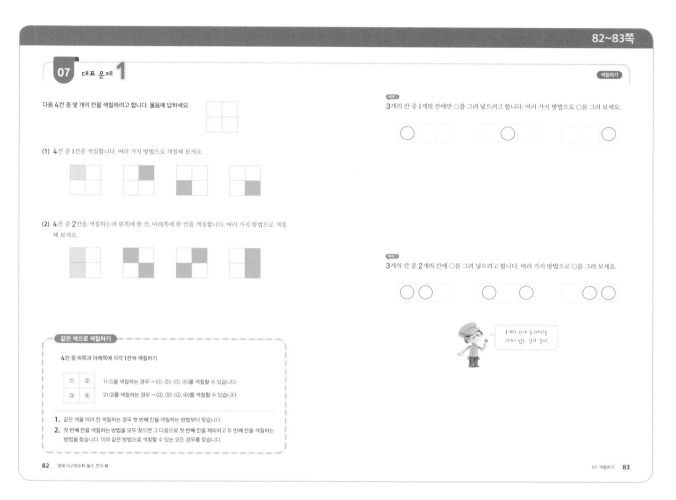

(2) ①을 색칠하는 경우

①은 색칠했으므로 ①을 제외하고 ②를 색칠하는 경우

예제 1

왼쪽 칸부터 차례로 각 칸에 ○를 그립니다.

예제 2

1) 첫째 칸에 ○를 그리는 경우

2) 첫째 칸을 제외하고 둘째 칸에 ○를 그리는 경우

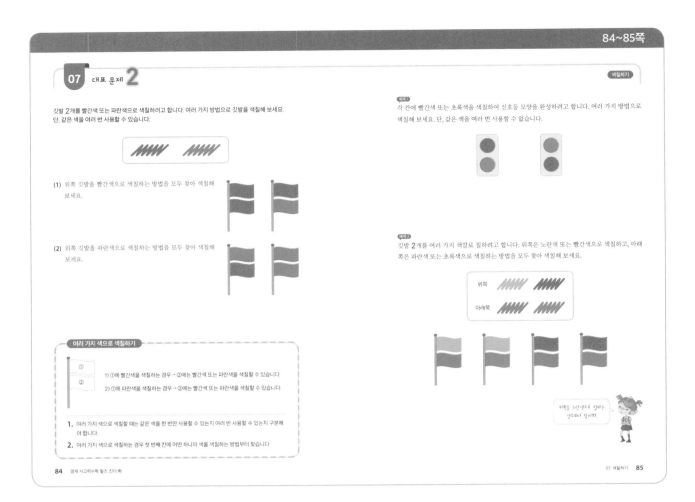

(1) 위쪽에 빨간색을 색칠하는 경우: (빨, 빨), (빨, 파)
(2) 위쪽에 파란색을 색칠하는 경우: (파, 빨), (파, 파)

예제 1

같은 색을 여러 번 사용할 수 없습니다.

예제 2

1) 위쪽에 노란색을 색칠하는 경우

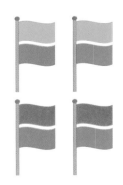

2) 위쪽에 빨간색을 색칠하는 경우

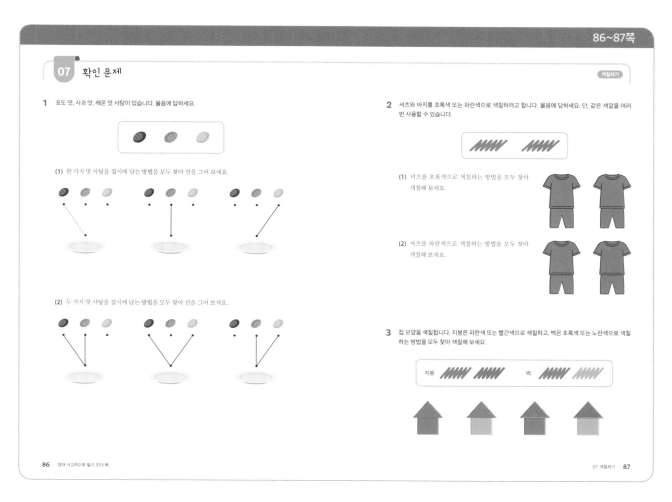

1 **(1)** 3가지 중 1가지를 담는 경우: (포도 맛), (사과 맛), (레몬 맛)

(2) 3가지 중 2가지를 담는 경우로 포도 맛을 담는다면 (포도 맛, 사과 맛), (포도 맛, 레몬 맛)을 담을 수 있고, 포도 맛을 제외하고 사과 맛을 담으면 (사과 맛, 레몬 맛)을 담을 수 있습니다.

2 **(1)** 셔츠를 초록색으로 색칠하는 경우

(2) 셔츠를 파란색으로 색칠하는 경우

3 **1)** 지붕을 파란색으로 색칠하는 경우

2) 지붕을 빨간색으로 색칠하는 경우

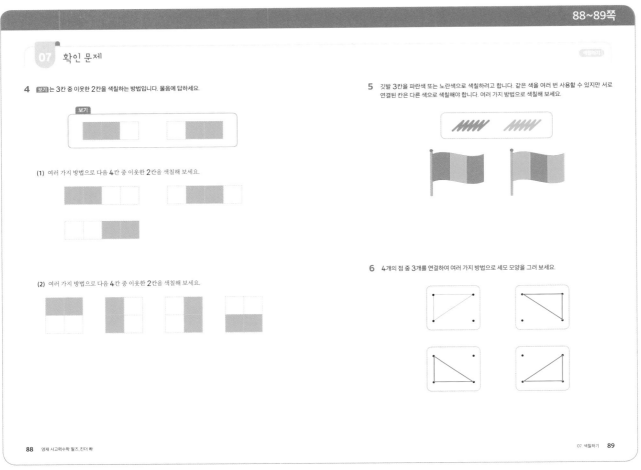

4 **(1)** ①과 연결된 칸

②와 연결된 칸

(①, ②)는 찾았으므로 제외

③과 연결된 칸

(②, ③)은 찾았으므로 제외

(2) ①과 연결된 칸

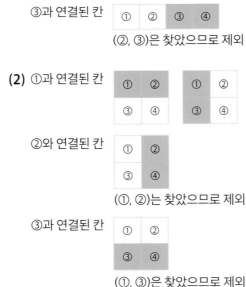

②와 연결된 칸

(①, ②)는 찾았으므로 제외

③과 연결된 칸

(①, ③)은 찾았으므로 제외

5 **1)** 첫째 칸을 파란색으로 색칠하는 경우

2) 첫째 칸을 노란색으로 색칠하는 경우

6 점 **3**개를 고르는 것은 점 **1**개를 고르지 않는 것과 같습니다. 따라서 점 **1**개를 고르지 않는 방법으로 여러 가지 세모 모양을 그려 봅니다.

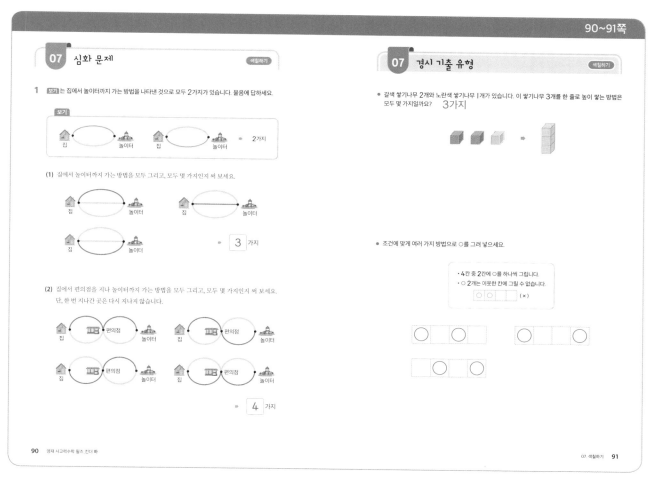

07 심화 문제 색칠하기

1 보기는 집에서 놀이터까지 가는 방법을 나타낸 것으로 모두 2가지가 있습니다. 물음에 답하세요.

(1) 집에서 놀이터까지 가는 방법을 모두 그리고, 모두 몇 가지인지 써 보세요.

➡ 3 가지

(2) 집에서 편의점을 지나 놀이터까지 가는 방법을 모두 그리고, 모두 몇 가지인지 써 보세요. 단, 한 번 지나간 곳은 다시 지나지 않습니다.

➡ 4 가지

07 경시 기출 유형 색칠하기

● 갈색 쌓기나무 2개와 노란색 쌓기나무 1개가 있습니다. 이 쌓기나무 3개를 한 줄로 높이 쌓는 방법은 모두 몇 가지일까요? 3가지

● 조건에 맞게 여러 가지 방법으로 ○를 그려 넣으세요.
· 4칸 중 2칸에 ○를 하나씩 그립니다.
· ○ 2개는 이웃한 칸에 그릴 수 없습니다.

1 (1) 위쪽 길, 가운데 길, 아래쪽 길을 각각 선택하는 3가지 방법이 있습니다.

(2) 집에서 편의점으로 갈 때 위쪽 길로 가는 경우

집에서 편의점으로 갈 때 아래쪽 길로 가는 경우

모두 4가지 방법이 있습니다.

● 1) 1층에 노란색을 쌓는 경우
2) 1층에 갈색을 쌓는 경우

● 1) 첫째 칸에 ○를 그리는 경우
2) 둘째 칸에 ○를 그리는 경우

정답 및 해설 **43**

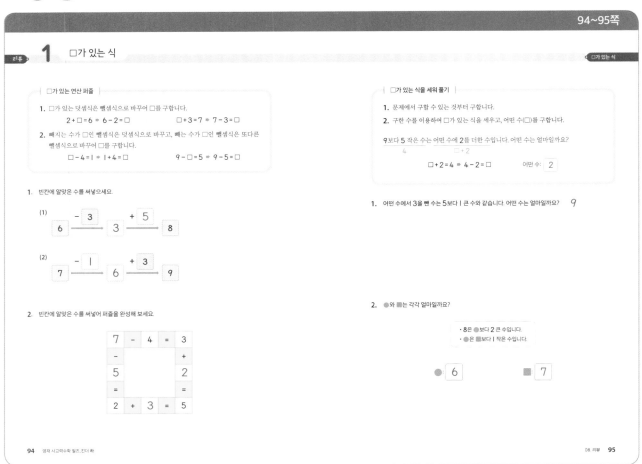

2 1) □ − 4 = 3, 3 + 4 = □, □ = 7
   2) 7 − □ = 2, 7 − 2 = □, □ = 5
   3) 2 + □ = 5, 5 − 2 = □, □ = 3
   4) 3 + □ = 5, 5 − 3 = □, □ = 2

1)7	−	4	=	3
−				+
2)5			4)2	
=				=
2	+	3)3	=	5

1 1) 5보다 1 큰 수: 6
   2) □ − 3 = 6, 6 + 3 = □, □ = 9

2 1) ● + 2 = 8, 8 − 2 = ●, ● = 6
   2) ■ − 1 = 6, 6 + 1 = ■, ■ = 7

2 가로세로 수 퍼즐

| 모양이 나타내는 수 |

1. 같은 모양끼리 더하는 식을 찾아 그 모양이 나타내는 수를 구합니다.
2. 1에서 구한 수를 이용하여 나머지 모양이 나타내는 수를 구합니다.

1. 같은 모양은 같은 수, 다른 모양은 다른 수를 나타냅니다. 각 모양이 나타내는 수를 구해 보세요.

◆ + ▲ = 9   ◆ : 8
★ + ★ = 8   ▲ : 1
★ − ▲ = 3   ★ : 4

2. 지호와 예원이가 과녁에 화살을 쏘았습니다. 지호는 ㉠에 2번 맞혀 6점을 받았고, 예원이는 ㉠에 1번, ㉡에 1번 맞혀 5점을 받았습니다. 과녁의 ㉠과 ㉡은 각각 몇 점을 나타낼까요?

㉠ : 3 점

㉡ : 2 점

| 가로세로 덧셈 퍼즐 |

1. 2, 3, 4, 5를 한 번씩 써넣어 가로줄 두 수의 합은 오른쪽 수, 세로줄 두 수의 합은 위쪽 수가 되도록 만듭니다.
2. 합이 가장 작거나 큰 경우의 두 수부터 구합니다. (합이 5인 두 수는 2, 3이므로 오른쪽 칸에 2, 3, 왼쪽 칸에 남은 4, 5가 들어갑니다.)
3. 오른쪽 수에 맞게 2와 3, 4와 5를 알맞게 써넣습니다.

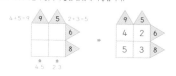

1. 주어진 수를 한 번씩 써넣어 가로줄과 세로줄의 두 수의 합이 오른쪽과 위쪽 수가 되도록 만들어 보세요.

(1) 2 4 6 8

(2) 1 4 5 7

1 1) ⛟ + ⛟ = 8

2) ⛟ − ◮ = 3

3) ⛟ + ◮ = 9

2 1) ㉠ + ㉠ = 6 → ㉠ = 3

2) ㉠ + ㉡ = 5, 3 + ㉡ = 5 → ㉡ = 2

1 (1) 합이 6인 두 수는 2, 4 뿐이므로 2, 4는 위쪽 칸에 들어갑니다. 2 + 6 = 8이므로 2는 왼쪽, 4는 오른쪽 칸에 들어가고, 아래 칸에 들어가는 6, 8 중 6은 왼쪽, 8은 오른쪽 칸에 들어갑니다.

(2) 합이 6인 두 수는 1, 5 뿐이므로 1, 5는 왼쪽 칸에 들어갑니다. 5 + 4 = 9이므로 5는 위쪽, 1은 아래쪽 칸에 들어가고, 오른쪽 칸에 들어가는 4, 7 중 4는 위쪽, 7은 아래쪽 칸에 들어갑니다.

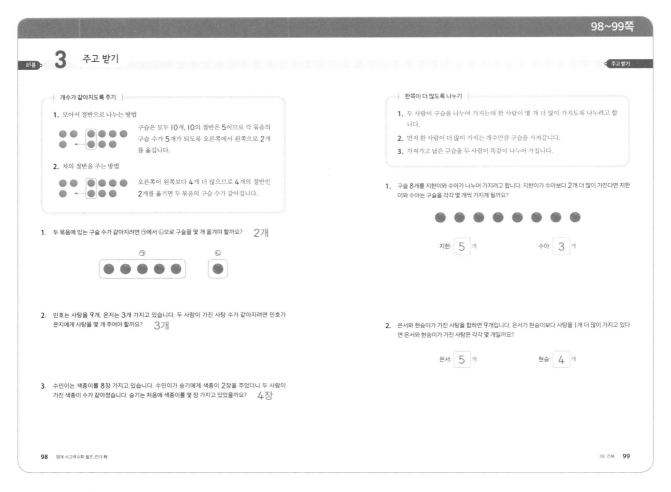

---

1 ㉠에는 ㉡보다 구슬이 **4**개 더 많으므로 **4**개의 절반인 **2**개를 옮깁니다.

2 민호가 은지보다 사탕을 **6**개 더 많이 가지고 있으므로 **6**개의 절반인 **3**개를 주면 두 사람이 가진 사탕 수가 같아집니다.

민호

은지

3 1) 수민이가 승기에게 색종이 **2**장을 주었으므로 두 사람은 모두 색종이를 **6**장씩 가지게 됩니다.

2) 승기는 색종이 **2**장을 받아서 **6**장이 되었으므로 처음에는 **4**장을 가지고 있었습니다.

3) 또는 처음에 두 사람이 가진 색종이 수의 차의 절반이 **2**장이므로 승기는 수민이보다 **4**장 적은 **4**장을 가지고 있었습니다.

수민

승기

1 1) 지한이가 구슬 **2**개를 먼저 가져갑니다.

2) 남은 **6**개를 두 사람이 똑같이 나누어 가집니다.

3) 지한이는 구슬 **5**개, 수아는 **3**개를 가지게 됩니다.

지한   지한   수아

2 1) 은서가 사탕 **1**개를 먼저 가져갑니다.

2) 남은 **8**개를 두 사람이 똑같이 나누어 가집니다.

3) 은서는 사탕 **5**개, 현승이는 **4**개를 가집니다.

은서   은서   현승

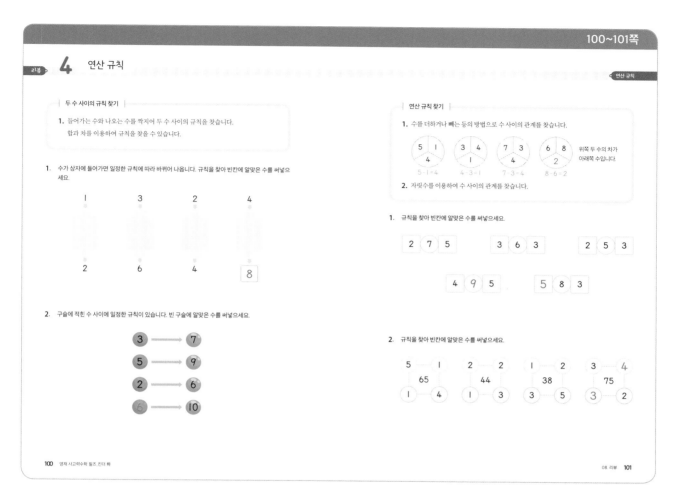

4 연산 규칙

1 들어간 수를 두 번 더한 수가 나옵니다.

2 초록색 구슬에 적힌 수에 4를 더한 수가 주황색 구슬에 적힌 수입니다.

1 양쪽 네모 모양 안에 적힌 두 수를 더하면 가운데 동그라미 모양 안에 적힌 수가 됩니다.

2 위쪽 ☐ 안에 적힌 두 수를 더하면 가운데 수의 십의 자리 숫자, 아래쪽 ◯ 안에 적힌 두 수를 더하면 가운데 수의 일의 자리 숫자입니다.
따라서 3 + ☐ = 7 → ☐ = 4, ◯ + 2 = 5 → ◯ = 3입니다.

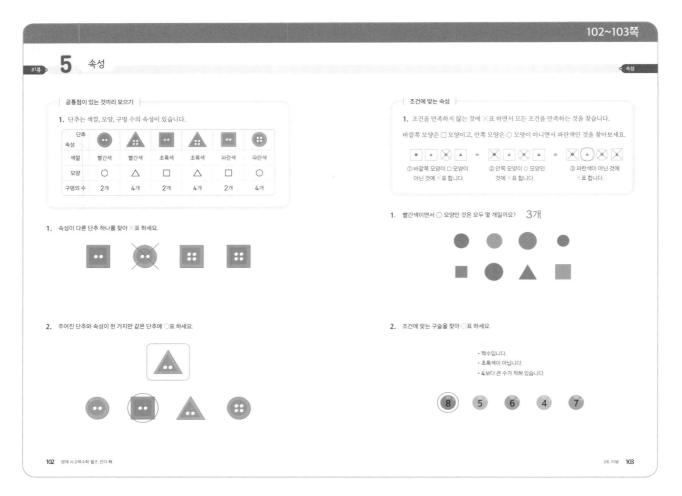

1 나머지 단추는 모두 네모 모양인데 다른 한 단추는 동그라미 모양입니다.

2 → 색깔, 구멍 수가 같습니다.(**2**가지)

→ 구멍 수가 같습니다.(**1**가지)

→ 색깔, 모양, 구멍 수가 같습니다.(**3**가지)

→ 같은 속성이 없습니다.

2 1) 짝수입니다.

2) 초록색이 아닙니다.

3) 4보다 큰 수가 적혀 있습니다.

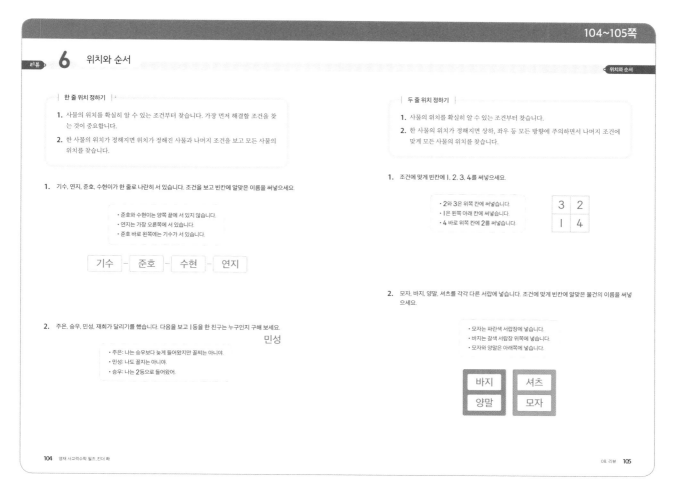

1 1) 조건2: 연지는 가장 오른쪽에 서 있습니다.

2) 조건1: 준호와 수현이는 가운데 서 있으므로 기수가 가장 왼쪽에 서 있습니다.

3) 조건3: 준호 바로 옆에 기수가 서 있으므로 왼쪽부터 차례로 기수, 준호, 수현, 연지가 서 있습니다.

2 1) 승우: 승우는 2등입니다.

2) 주은: 승우보다 늦게 들어왔지만 꼴찌는 아니므로 3등입니다.

3) 민성: 민성이는 꼴찌가 아니므로 4등은 재희, 민성이는 1등입니다.

1 1) 조건2: 1은 왼쪽 아래 칸에 써넣습니다.

2) 조건1: 2, 3이 위쪽 칸에 들어가므로 4는 아래쪽에 들어가고, 1의 오른쪽에 써넣습니다.

3) 조건3: 4 바로 위에 2를 써넣고, 남은 칸에 3을 써넣습니다.

2 1) 조건2: 바지는 갈색 서랍장의 위쪽에 넣습니다.

2) 조건1, 3: 모자는 파란색 서랍장의 아래쪽에 넣고, 양말은 갈색 서랍장의 아래쪽에 넣습니다.

3) 셔츠는 남은 곳(파란색 서랍장의 위쪽)에 넣습니다.

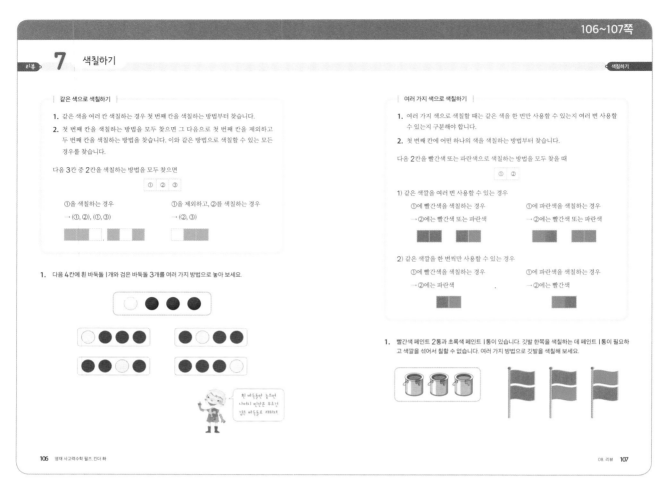

1 흰 바둑돌 1개를 놓으면 나머지 3칸은 모두 검은 바둑돌이 놓여지므로 흰 바둑돌 1개를 놓는 방법만 찾으면 됩니다.

1 빨간색은 2통 있어서 2번 사용할 수 있지만 초록색은 1통만 있어서 1번만 사용할 수 있습니다.

1) 위쪽에 빨간색을 색칠하는 경우

2) 위쪽에 초록색을 색칠하는 경우

"TRANSIRE SUUM PECTUS MUNDOQUE POTIRI"

"

자신 위로 올라서
세상을 꽉 잡아라

"